Du même auteur chez Marabout :

- *Votre bébé de 1 jour à 1 an.*
- *Votre enfant de 3 ans à 6 ans.*
- *Mon enfant a confiance en lui.*

Anne Bacus

VOTRE ENFANT
DE 1 AN À 3 ANS

SOMMAIRE

INTRODUCTION

Aucune période ne comptera autant dans la vie future de l'enfant que ses trois premières années. Aussi convient-il, en tant que parent, d'être particulièrement attentif.

Donner à son enfant tout ce qui est nécessaire d'amour, d'expérience et d'éducation pour qu'il se développe de façon heureuse et équilibrée ne demande nullement un don ou des études particulières. Un mélange de tendresse, de patience, d'enthousiasme et de bon sens donne d'excellents résultats.

Mais il semble aussi très important de bien connaître son enfant. Quelles grandes étapes traverse-t-il? A quelles difficultés ou quelles peurs est-il confronté? Que se passe-t-il dans sa tête et dans son corps à tel ou tel âge? Ce livre est là pour répondre à ces questions.

Suivre au plus près l'avancée de son enfant dans tous les domaines de son développement physique, psychologique, affectif ou social, permet de mieux faire face aux nombreux petits problèmes éducatifs qui ne manquent pas de survenir.

Un jour ou l'autre, tout parent se sent perdu et démuni devant son enfant qui semble pleurer sans raison, refuse la cuiller, se met à avoir peur du bain, tarde à être propre, se relève la nuit ou se plonge dans d'effroyables colères. On se voudrait calme et disponible : on se retrouve épuisé et tendu, ne sachant s'il faut laisser faire ou sévir.

Les problèmes trop spécifiques ou purement médicaux, psychiatriques ou économiques ne sont pas traités dans ce livre. Ils peuvent survenir entre un et trois ans, comme à toute autre période, mais ils sont trop complexes pour être abordés ici de façon utile au lecteur.

Depuis toutes ces années où je rencontre des parents de jeunes enfants, jamais on ne m'a demandé : *« Quand sortira sa prochaine prémolaire ? »* ou *« Que faire s'il a trente-neuf de fièvre et qu'il étouffe ? »*.

Les questions de dents, taille, etc., perdent de leur importance après un an et sont du ressort du pédiatre lors des visites de contrôle. Les questions sur les maladies relèvent souvent de l'urgence : mieux vaut appeler un médecin que chercher la réponse dans un livre.

En revanche, les questions comme : *« A quel âge puis-je commencer à l'asseoir sur le pot ? »*, *« Quels sont les bons jouets à lui offrir à son âge ? »*, *« Comment le faire manger quand il ne veut pas ? »*, ou encore *« Comment l'empêcher de mordre ? »* sont quotidiennes.

C'est à ces interrogations permanentes qui laissent les parents désarmés dans leur rôle éducatif que j'ai souhaité répondre en priorité.

Ce livre, parce qu'il tient compte de ce que l'on sait aujourd'hui des jeunes enfants, aidera les parents, je l'espère, à trouver l'attitude appropriée. Il fournit également des informations et des conseils qui ont fait leurs preuves.

Mais chaque enfant est unique, chaque parent a son histoire, chaque famille a sa particularité et sa culture. Un simple livre ne peut suffire à répondre précisément à toutes les interrogations.

Aussi est-ce à chacun de prendre ses responsabilités et déterminer, en relative connaissance de cause, ses choix éducatifs. A chaque parent, à sa manière, d'inclure son enfant dans une relation de confiance, de respect, de sécurité et d'amour.

La première année de l'enfant est plutôt calme. Comme le précise l'ouvrage précédent, *Votre bébé de un jour à un an*, ces douze mois sont faits de découvertes mutuelles et d'éveil progressif.

Les deux années suivantes sont plus mouvementées mais tout aussi passionnantes. Des difficultés apparaissent concernant le plus souvent les repas, le sommeil ou le caractère. Le bébé, jusque là si conforme au rêve que l'on s'en faisait, devient en grandissant plus difficile à comprendre et plus exigeant.

Parce qu'il est porteur de leurs espoirs et de leurs rêves, les parents le voudraient toujours intelligent, obéissant, précoce, talentueux, gai. Ils donneraient tout pour lui éviter échecs et soucis. Ils ont donc beaucoup de mal à accepter les petites difficultés lorsqu'elles surviennent.

Aussi vaut-il mieux savoir d'emblée que l'enfant, entre un et trois ans, traverse une sorte de « petite adolescence », souvent conflictuelle. Les crises traversées, qui rendent par moments l'enfant insupportable et à d'autres tout à fait délicieux, sont inhérentes à la construction de sa personnalité.

Au début de cette période, c'est encore un bébé que vous tenez dans vos bras. A la fin, c'est une petite fille ou un petit garçon qui vous dit « *Au revoir, à ce soir* », en agitant la main sur le seuil de l'école maternelle.

C'est ce chemin, semé d'immenses plaisirs, de grandes découvertes et d'embûches, le chemin qui mène à la découverte de son autonomie, que vous allez parcourir ensemble.

AVERTISSEMENT

Tous les enfants sont différents. Ils n'ont ni le même tempérament ni le même goût des choses, et c'est très bien ainsi. Certains développent plus tôt leurs capacités physiques globales, d'autres leur habileté manuelle, d'autres encore le langage. L'enfant moyen est un leurre, une abstraction. C'est pourtant celui-ci que l'on décrit dans un livre qui s'adresse à tous.

Aussi les parents ne devraient-ils avoir ni orgueil ni inquiétude si les acquisitions de leur enfant ne coïncident pas précisément avec les âges avancés dans ce livre. Ces variations, parfois importantes, n'ont, dans l'immense majorité des cas, aucune incidence sur le devenir de l'enfant. Ayons donc à cœur de respecter et de soutenir le rythme de chaque enfant.

Quand, dans ce livre, j'écris « *vous* », c'est bien au pluriel qu'il faut l'entendre. Je m'adresse, sauf cas particulier, aux deux parents. Les pères se sentent aujourd'hui, pour la plupart d'entre eux, très concernés par l'éducation de leurs enfants et partie prenante de l'attention et des soins quotidiens dont ils ont besoin.

Si la mère, pour l'enfant en bas âge, reste le pivot, le père a, dans cette tranche d'âge particulièrement, un rôle fondamental et spécifique à jouer auprès de son jeune enfant. Ni plus ni moins important que celui de la mère. Différent et complémentaire.

Dans la langue française, « *enfant* » s'accorde au masculin. J'ai donc, tout au long de cet ouvrage, utilisé le pronom personnel « *il* ». Que les parents de filles ne s'en offusquent pas et sachent qu'ils n'étaient nullement absents de mes pensées.

L'ENFANT DE 12 A 14 MOIS

Q UI EST L'ENFANT DE 12 A 14 MOIS ?

PERSONNALITÉ

A un an, l'enfant a déjà une personnalité affirmée. Ce qui le caractérise est une **immense curiosité** pour tout ce qui l'entoure. Qu'il se déplace à quatre pattes ou sur deux pieds, c'est avec un but précis. Il se passionne longuement pour les petits objets, les insectes minuscules, les grains de poussière. Les portes de placard exercent sur lui un attrait non négligeable, ainsi que de faire l'inventaire du contenu.

Les parents devraient préserver cette curiosité, quels qu'en soient les inconvénients apparents, et accompagner leur enfant dans ses découvertes. En effet, ce désir de connaître est le même qui le mènera, plus tard, à la découverte de la lecture, de l'écriture et de toutes connaissances. Être curieux de tout est une bonne chose, cela témoigne d'un élan vital fondamental.

Mais encourager cette curiosité suppose que l'on rende sûr l'environnement de l'enfant. Le laisser toucher et explorer, oui, à condition que cela se fasse **sans risque** pour lui, pour les autres et pour vos objets favoris.

Il déteste d'ailleurs être entravé dans sa liberté de mouvement. Non seulement c'en est fini du parc, mais même rester assis sur une chaise haute est une épreuve qui ne doit pas durer longtemps. Allonger un enfant de cet âge sur la table à langer pour le changer et l'habiller prend aussi parfois l'apparence d'un tour de force. Heureusement pour les parents, il est encore facile de distraire son attention le temps nécessaire !

Un an, c'est également le tout début des **peurs enfantines**, qui se développeront davantage au cours des deux années qui viennent. Certains enfants sont sensibles aux bruits forts, d'autres craignent l'eau du bain, l'obscurité, ou les inconnus.

Tout cela est respectable et témoigne que l'enfant grandit. Nous verrons comment les parents peuvent aider leur enfant à faire face à ses craintes, en le rassurant et sans le brusquer.

L'enfant de cet âge est également d'une très grande gentillesse : c'est un régal d'être l'objet de ses câlins et de ses sourires. Il n'a qu'un « défaut » : il commence à être jaloux et supporte mal que sa mère s'occupe d'un autre. Il estime que c'est à lui et à lui seul d'être au centre de son monde.

DÉVELOPPEMENT PHYSIQUE

L'enfant **se déplace seul**, que ce soit à quatre pattes ou debout, avec ou sans l'aide d'une main d'adulte. Qu'il ne marche pas seul n'est pas important à cet âge et ne l'empêche nullement de se déplacer à grande vitesse. Les progrès seront importants dans les mois qui viennent : il va apprendre l'équilibre, va se mettre debout seul, puis se lâcher.

A chaque enfant son rythme. L'essentiel est qu'il explore, qu'il soit actif. Il sait déjà s'asseoir et se relever sans aide, ce qui est un gros progrès. Il s'exerce à grimper, à escalader, et les chutes, si elles sont nombreuses mais bénignes, ne le découragent pas.

Les mains de l'enfant deviennent plus habiles et certains enfants sont déjà capable de boire à la timbale sans trop de dégâts. D'autres font une tour en superposant deux cubes, un étant tenu dans chaque main, et cela témoigne déjà d'une bonne maîtrise du geste. Le pouce et l'index s'opposent en une pince qui rend le geste plus précis, par exemple pour attraper un petit morceau de nourriture ou un grain de poussière.

Mais **la bouche** reste encore un élément fondamental de connaissance des objets. C'est par la bouche que l'enfant explore et découvre les objets, d'autant plus que les poussées dentaires rendent les gencives particulièrement sensibles.

LANGAGE

Un an marque les vrais débuts du langage. L'enfant ne parle pas encore mais accumule du **matériel verbal** à une grande vitesse. Aussi est-il particulièrement important de lui parler souvent, de commenter ses actions et sa vie quotidienne et de le faire dans un langage clair, précis et simple. On peut aussi commencer à lui apprendre le nom des parties du corps, d'abord sur une poupée, puis sur son corps propre.

Bien sûr, cela doit se faire **sous forme de jeu** et non de leçon, et se termine bien souvent par une partie de chatouilles ! Si l'enfant ne parle pas, il communique. Non seulement il comprend ce qu'on lui dit et peut obéir à des ordres simples (« *Passe-moi la balle bleue* », ou « *Ramasse le gâteau, s'il te plaît* »), mais il se fait très bien comprendre. Et puis, s'il n'a pas les mots, il a déjà l'intonation.

SOCIABILITÉ

Ses rapports avec les autres enfants ne sont pas empreints d'une grande considération. Il peut se montrer aimable à un moment, puis taper l'instant d'après. **Les**

jouets que les autres ont en main sont toujours plus beaux et plus attrayants que les siens, même si aux yeux des adultes ce sont rigoureusement les mêmes, ou qu'un autre identique traîne sur le sol.

Aussi va-t-il tenter de se l'approprier. Ce jouet-là est vivant, il est amusant puisqu'il amuse l'autre : l'enfant dote l'objet de qualités propres et ne sait pas encore que seule la personne donne vie à l'objet.

Ses rapports avec les adultes sont plus harmonieux. L'enfant est demandeur de leur présence, de leur attention. Il sait tirer par la manche celui qui cuisine, fermer le livre de celui qui lit, ou encore faire une bêtise pour faire cesser une conversation téléphonique. Car, plus que tout, **il aime avoir un public**, qu'il sait acquis d'avance, et faire applaudir ses clowneries.

▶ C'est justement à cette époque que les parents vont devoir mettre en place les débuts de **la fermeté**. Au cours de la première année, l'autorité n'avait aucun sens. Maintenant, il va falloir commencer à apprendre à l'enfant ce que *« Non »* veut dire.

Bien des parents pensent qu'ils ont bien le temps et se retrouvent, un an plus tard, avec une petite terreur qu'ils ne savent plus par quel bout prendre. Mieux vaut mettre en place **en douceur** et progressivement les règles qui rendront la vie plus facile à tous dans les années qui viennent.

JEUX ET JOUETS

Ses jeux favoris consistent à **pousser et tirer**, **remplir et vider**. Aussi est-il bon de mettre à sa disposition beaucoup de petits bazars auquel il aura librement accès.

Un tiroir bas qui sera le sien, un bas de placard dans la cuisine ou le séjour, une étagère, de grands bacs ou cartons, pleins de mille trésors sans danger et régulièrement renouvelés, lui seront une grande joie. Il aime d'ailleurs autant remettre les choses en place et remplir les bacs que les vider.

Parmi ses jeux favoris, on trouve aussi les jeux de bain, les balles, les ronds à enfiler sur des tiges, ce qui s'empile et s'emboîte.

Enfin, il a une attirance particulière pour les **jouets bruyants** : plus il fait de bruit, plus il se sent puissant, ce qui n'est pas du goût de tous les parents…

> Pourtant les adultes, et les parents de façon privilégiée, sont bien les interlocuteurs favoris pour les jeux.
>
> Se courir après, se rattraper, se cacher, se chatouiller, sauter dans les bras, répéter des comptines, sont de très grands plaisirs pour l'enfant et sans aucun doute ses jeux préférés.
>
> Des adultes, il tire encouragement, rire, émotions. Il apprend des mots et il apprend la vie.

L A MARCHE

L'étape de la marche est beaucoup plus importante et décisive pour le changement de comportement de l'enfant que son premier anniversaire, auquel elle est généralement, et à tort, associée. En fait, la marche survient **entre dix et dix-huit mois**, la moyenne des enfants marchant aux environs de quatorze mois.

Si un enfant de dix-huit mois ne marche pas encore, il faut essayer, avec le pédiatre, de comprendre pourquoi. Mais, jusqu'à cet âge, aucune inquiétude : le moment de la marche n'est lié à aucun autre indice de développement. Être précoce dans ce domaine n'indique pas qu'on le sera dans un autre.

Le développement de la capacité de marcher s'appuie à la fois sur une **maturité** suffisante, tant physique que psychique, et sur le **tempérament** de l'enfant : les actifs, ceux qui aiment aller à la découverte, marcheront le plus souvent de bonne heure, les paisibles, ceux qui préfèrent observer, prendront davantage leur temps.

Mais tous, lorsqu'ils sont prêts, le font clairement comprendre. Leur besoin de s'entraîner à marcher prime sur tout le reste. Ils y passent l'essentiel de leur temps et les chutes ne les rebutent pas.

A l'âge d'un an, les enfants peuvent en être à des stades très différents vis-à-vis de la marche. Certains marchent à quatre pattes, sur les genoux ou sur la plante des pieds, et s'en trouvent très bien ainsi. Ils ont généralement développé une vitesse et une agilité qui leur conviennent pour l'instant. Ceux qui marchent sur les pieds et les mains se lèveront généralement plus vite.

D'autres enfants d'un an passent leur temps debout, contre les meubles, essayant de marcher en passant d'un appui à l'autre. D'autres enfin se sont déjà lâchés et franchissent les quelques pas qui séparent l'adulte qui les incite à se lancer de celui qui leur tend les bras pour les accueillir.

La marche est aussi une étape importante **sur le plan symbolique**. L'enfant debout rejoint le monde des humains et sort de sa petite enfance. Il peut désormais partir à la conquête de son autonomie.

Les parents sentent bien que leur petit leur *échappe* au sens propre comme au sens figuré. L'enfant va y mettre beaucoup d'énergie et cette lutte pour l'indépendance, pour la reconnaissance d'une existence autonome et entière, sera la grande affaire de sa deuxième année.

La marche, en libérant les mains, va permettre des **progrès énormes dans bien d'autres domaines**. Parce qu'il peut maintenant lui aussi partir et revenir, l'enfant va sortir vraiment de l'angoisse des mois précédents où il subissait les départs et les retours de ses parents. Son monde s'élargit, il voudrait tout découvrir.

Mais il va très vite se heurter à des **limites** : celles que mettent ses parents et celles qu'il ressent de lui-même. Les frustrations qui en résultent seront les grandes difficultés des mois à venir.

▶ On peut aider à s'entraîner un enfant que l'on sent sur le point de se lâcher. L'une des façons consiste à lui fournir un **appui mobile** (dossier de chaise, tabouret, poussette). Il le tient à deux mains et marche tout en se retenant.

L'autre façon consiste à **l'encourager** chaque fois qu'on le voit s'entraîner. L'enfant tombe sur les fesses ? Inutile de se précipiter, les couches ont amorti le choc.

Mieux vaut, de la voix, dédramatiser et l'encourager à se relever.

Au cours des mois qui viennent, les chutes seront nombreuses. Il faut que l'enfant comprenne qu'elles ne sont pas graves et, pour cela, l'attitude des parents est déterminante. **Lui donner confiance** dans ses capacités physiques implique qu'on ne s'arrête pas au premier obstacle.

REPAS : LES DÉBUTS DE L'AUTONOMIE

A cette période de sa vie, tout enfant revendique haut et fort de faire seul ce que l'on faisait généralement pour lui. Se nourrir n'échappe pas à cette règle. Alors qu'il vous laissait jusqu'alors tenir gentiment la cuiller, le voilà qui veut la prendre.

Évidemment, comme il ne sait pas la manier, il la met à l'envers, renverse sa nourriture, s'en colle partout, et c'est une vraie catastrophe dans la cuisine. Parfois, pour aller plus vite, il plonge carrément ses mains dans la soupe de légumes et s'en barbouille copieusement.

Le résultat est totalement désastreux et plus d'une mère serait tentée de se réapproprier la cuiller une bonne fois. Ce serait une erreur. **Si votre enfant ne s'entraîne pas, comment apprendra-t-il à manger seul ?**

On voit trop d'enfants de deux ans qu'il faut encore nourrir, simplement parce que l'âge où ils souhaitaient apprendre est passé sans qu'on leur en ait laissé la possibilité. Manger seul est, avec marcher seul, la grande prise d'autonomie de cette période et il est bon de la respecter.

▶ Cela demande quelques aménagements. **Au lieu d'avoir une seule cuiller**, il est pratique **d'en avoir deux** : une pour l'enfant, avec laquelle il fait ses tentatives, mais qui ne lui amène pas grand-chose dans la bouche, et une que tient l'adulte. L'enfant s'occupe et s'entraîne pendant qu'on le nourrit.

Un autre aménagement consiste à **protéger table et sol**, puis à laisser l'enfant se nourrir. Au choix, vous pouvez étaler une toile cirée lavable d'un coup d'éponge ou du papier journal qu'il suffira de jeter.

Pour protéger l'enfant, il existe des **bavoirs en plastique** qui récupèrent la nourriture. Mais vous pouvez aussi fabriquer un petit **tablier à manches**, qui s'enfile par-devant, comme un tablier de peinture, coupé dans une toile cirée ou dans des vieilles chemises.

Il ne vous reste plus qu'à laisser faire, tentant de maintenir les choses à un niveau raisonnable. Tout au long de cette année, votre enfant aura envie de jouer avec la nourriture, de même qu'il aura plaisir à jouer avec du sable, de la boue ou de la pâte à modeler. C'est ainsi. Si vous en prenez votre parti et gardez votre sérénité, vous verrez que ses progrès seront rapides et que, avant sa deuxième année, il mangera très correctement.

Qu'importe si un peu de nourriture est renversée et si votre enfant finit son repas très sale : le but n'est pas encore de lui apprendre les bonnes manières, vous verrez cela plus tard, mais de lui donner d'une part le **plaisir de venir à table**, d'autre part la **capacité de se débrouiller** tout seul avec sa nourriture.

Cela étant dit clairement, vous n'êtes pas obligé d'accepter que votre enfant renverse volontairement le contenu de son assiette par terre ou qu'il se serve de sa purée pour badigeonner les murs. Vous avez le droit de dire « stop » et de retirer simplement l'assiette si l'enfant continue malgré tout.

▶ Vous pouvez également **limiter les dégâts en composant vos menus**. Pour la soupe, il y a peu de solutions, si ce n'est de la donner épaisse, sous forme de purée de légumes.

Mais vous pouvez surtout proposer à votre enfant une nourriture sous forme de **petits morceaux**, doux à mâcher et à avaler, qu'il pourra attraper seul et porter à sa bouche. Les doigts peuvent dans ce cas, sans trop de dégâts, prendre le relais de la cuiller.

La nourriture que l'on peut donner sous forme de petits morceaux est variée : **légumes crus** (tomates, concombre...) **ou cuits** (petits pois, morceaux de haricots, pommes de terre en cubes, macédoine...), **céréales** (pâtes, riz, grains de maïs, céréales de petit déjeuner), **morceaux de foie ou de jambon, miettes de poisson, fruits pelés et coupés**, etc.

L A FATIGUE DE L'ENFANT EN CRÈCHE

Bientôt, si ce n'est déjà fait, la directrice de l'établissement vous avertira que votre bébé va désormais passer **dans le groupe des «moyens»** (mot très laid mais unanimement employé) où se trouvent les enfants entre un et deux ans environ.

Ce passage est important pour vous tant sur le plan symbolique : votre petit n'est désormais plus un bébé, que sur le plan pratique : saura-t-il s'adapter, lui qui est encore si petit ?

Le passage est également très important pour votre enfant. En dépit d'une légère anxiété tout à fait normale, il sait qu'il va découvrir de nouvelles activités, un rythme de vie plus soutenu, des possibilités d'action plus grandes.

L'adaptation à ces nouvelles conditions de vie se passe généralement d'autant mieux que l'enfant change de section en même temps qu'un petit groupe d'enfants de son âge et que son auxiliaire de référence (on nomme ainsi la personne qui s'occupe plus particulièrement de lui).

Ce passage dans le groupe des «moyens» se déroule généralement sans histoires, après un temps d'adaptation plus ou moins long. Mais un problème surgit immanquablement dans les semaines et les mois qui suivent : l'enfant est très fatigué. A cela, trois raisons principales :

■ **Le niveau d'activité est beaucoup plus soutenu**, le niveau sonore et d'agitation permanente beaucoup plus élevé. Les enfants marchent bien, courent, escaladent, interagissent, se querellent, etc. On comprend qu'en fin de journée votre bambin en ait « plein la tête ».

■ **L'enfant n'a plus de lit accessible en permanence**, mais un matelas, rangé en pile le reste du temps, que l'on pose sur le sol à l'heure de la sieste. Il ne peut donc plus faire un petit somme le matin.

Bien souvent, un « coin repos » est aménagé dans la pièce, mais il n'est pas facile de s'y endormir quand les copains s'agitent et crient autour de vous. Or, certains enfants, arrivant à la crèche dès sept heures du matin, sont réveillés aux alentours de six heures…

■ Ajoutez à cela les très **longues journées** que font les enfants dans cette ambiance (plus longues que celles de leurs parents puisqu'il faut y ajouter les temps de transport), et vous aurez une assez juste idée de la fatigue que votre enfant va ressentir ces premiers mois. En fait jusqu'à ce que son organisme s'habitue et que l'enfant puisse compenser l'absence de petits sommes par une longue sieste en début d'après-midi.

Au cours de cette phase, les « exigences sociales » subies par l'enfant sont trop peu respectueuses des processus biologiques, soumis, eux, à des rythmes naturels.

Certains troubles du comportement peuvent alors apparaître, tous dus à une même cause : la fatigue. Cette fatigue se traduit la journée par des pertes de tonus, des difficultés d'attention, des troubles légers du comportement (irritabilité par exemple), une difficulté à bien manger le midi (l'enfant s'endort sur sa chaise ou pique du nez dans son assiette).

Le soir, lorsque vous retrouvez votre enfant, sa fatigue va se traduire le plus souvent par des pleurs et une **irritabilité** bien difficile à gérer. Son auxiliaire vous dira qu'il a bien joué et couru toute la journée (ce qui est vrai), mais vous, vous récupérez les larmes.

N'en soyez pas trop chagriné : il s'agit d'une **preuve de confiance**. Avec vous, enfin, il peut montrer sa lassitude et se laisser aller. Une fois rentrés à la maison, vous n'aurez guère le temps que de le baigner et de le faire dîner avant de le mettre au lit. Parfois même il s'écroulera avant.

▶ Cette situation est frustrante mais elle ne dure généralement pas très longtemps. La seule solution, si vous le pouvez, consiste à **alléger le temps passé à la crèche**. Il est bon que l'enfant puisse se réveiller spontanément le matin (preuve qu'il a assez dormi) et avoir, le soir, le temps de retrouver ses parents, sa maison, ses jouets, ses frères et sœurs, etc.

Si vous pouvez faire appel à un grand-parent, à une nourrice, à une autre maman, à une jeune fille, bref à quelqu'un qui pourrait vous aider à **déposer votre enfant plus tard** ou à **le reprendre plus tôt** le soir, faites-le sans hésiter.

Sinon, veillez à ce que votre enfant ait une vie régulière et puisse **compenser** son manque de sommeil la nuit et le week-end.

L ES DÉBUTS DE LA JALOUSIE

Au début de sa deuxième année, le jeune enfant commence à manifester clairement des sentiments complexes, dont l'un des plus évidents est la jalousie.

Dès dix, douze mois, il nous en montrait déjà les premiers signes, par des grognements caractéristiques. Mais auparavant, il ne se préoccupait guère des relations entre deux personnes de son entourage. Seule sa propre relation à elles l'intéressait.

A présent, ce qui l'irrite particulièrement, c'est lorsque sa mère, ou la personne qui s'occupe particulièrement et régulièrement de lui, entre en relation intense avec quelqu'un d'autre.

Les parents se font-ils un câlin ou s'embrassent-ils? L'enfant s'arrange pour détourner l'attention et réclame d'être pris dans les bras. La mère prend-elle un frère ou une sœur contre elle? L'enfant tente de se glisser entre les deux, voire les agresse physiquement. D'autres enfants n'interviennent pas directement mais grognent, geignent, pleurent ou tendent les bras.

L'enfant est devenu capable de pressentir les liens existant entre sa mère et une autre personne de son entourage, et souffre de ne pas se voir comme l'objet exclusif de son amour et de son désir.

D'une part, il voudrait «combler» sa mère. D'autre part, il vit ces situations comme des **frustrations réelles**. Il réagit donc de façon comparable à celles qu'il vit lorsqu'il est frustré d'un objet qu'il désire : il s'agite, se plaint ou repousse le tiers comme s'il était un obstacle à sa relation première et privilégiée.

Cette situation triangulaire est le modèle de la situation œdipienne qui se mettra en place dans les années suivantes et qui est considérée comme constitutive de l'individu par les psychanalystes. Il s'agit d'un **progrès important de l'enfant** qui se repère davantage dans son environnement, même s'il semble réagir avec un grand égocentrisme.

▶ Comment réagir ? Il faut d'abord bien comprendre qu'à cet âge, l'enfant est très dépendant affectivement de sa mère. D'autre part, ses désirs sont plus clairs et il commence à mettre en œuvre des stratégies d'opposition pour parvenir à ses fins.

La réaction de simple bon sens consiste donc à **rassurer** l'enfant sur l'amour et l'intérêt qui lui est porté, mais en affirmant tout aussi clairement les sentiments qui lient la mère à son conjoint et à ses autres enfants.

L'enfant doit apprendre doucement, dans la tendresse et la gentillesse, qu'il est aimé totalement mais n'est pas le seul objet d'amour de sa mère. Le père a un rôle important à jouer ici en faisant passer le message suivant : *« Moi aussi, j'aime ta mère et elle m'aime. Elle était ma femme avant d'être ta mère. Alors permets que nous nous embrassions et nous te ferons un câlin aussi. »*

A TTENTION AU SOLEIL

Au printemps, en été, on a des envies de longs week-ends et de ponts, de campagne et d'air pur. Pourquoi ne pas en profiter pour partir avec son enfant et lui faire prendre l'air et le soleil ?

Il n'y a que des avantages à partir en balade ensemble et à vivre au maximum dehors, à condition de prendre un certain nombre de précautions. Plus l'enfant est jeune et plus elles sont impératives.

A un an, la peau de certains enfants est encore très fragile et ils sont sensibles aux variations climatiques.

■ Pensez d'abord à la **température**. Elle peut monter très vite dans une voiture exposée au soleil. Veillez toujours à ce que le siège-auto soit **à l'ombre** (au besoin, on peut couvrir la vitre arrière avec une serviette éponge).

Si possible, évitez de voyager aux heures les plus chaudes et/ou dans les encombrements. N'hésitez pas à vous arrêter s'il fait trop chaud à l'arrière.

■ Pensez ensuite à la **déshydratation**. Elle survient moins vite que chez un bébé mais peut malgré tout se révéler pénible. Pour l'éviter, donner **beaucoup d'eau** à boire à votre enfant, à volonté.

Si vous constatez qu'il a de la fièvre, et éventuellement des vomissements ou de la diarrhée, craignez un coup de chaleur et rafraîchissez-le rapidement.

■ Enfin, pensez aux **brûlures** du soleil qui peuvent apparaître rapidement sur une peau peu habituée au soleil.

L'exposition doit être très progressive, en commençant par les jambes. Évitez le milieu de journée où le soleil brûle le plus, mais enduisez malgré tout systématiquement son visage avec une crème solaire *« écran total »* (les indices variant d'une marque à l'autre, seule la mention *« écran total »* peut vous servir de référence).

Ne couvrez pas l'enfant : c'est torse nu, ou avec un simple tee-shirt qu'il se sentira le mieux.

Enfin, si vous êtes dehors et qu'il fait assez chaud, ôtez la couche et laissez-lui les fesses à l'air : le soleil est souverain contre les irritations. Bon week-end !

L E SILENCE DE LA NUIT

Beaucoup de parents croient que les petits enfants ont avant tout besoin de silence pour bien dormir et s'efforcent de maintenir la maison sans un bruit, aux heures d'endormissement, fermant soigneusement les portes de communication entre la chambre et la salle de séjour.

Or, il se passe bien souvent l'inverse. N'entendant plus rien, les petits **s'imaginent qu'ils ont été abandonnés**, seuls à la maison. A cause de cette peur, ils se relèvent et se présentent régulièrement au salon pour vérifier que papa et maman sont bien là et bien vivants.

Autre effet pervers de ce silence que l'on entretient autour du sommeil de l'enfant, depuis sa naissance : il engendre, chez l'enfant, une plus grande **sensibilité au bruit**. Si l'entourage s'oblige à marcher sur la pointe des pieds et à parler tout bas dès que le petit est couché, ce dernier risque de prendre le travers de se réveiller au plus petit bruit.

Aux bruits de la maison, d'abord, sonnerie de téléphone, craquement de parquet ou éternuement violent, puisqu'il n'y a pas été habitué. Mais bruits extérieurs également, parce qu'ils tranchent sur le silence ambiant et sont d'autant plus inquiétants que rien de «familier» ne vient les soutenir. Crissement de pneus, bruits de klaxon, démarrage de motos, voix fortes des voisins, peuvent être alors sources d'inquiétudes importantes.

Il est sûr que les jeunes enfants ont une sensibilité au bruit très variable. Si certains ne semblent absolument pas gênés par le bruit et s'endormiraient en plein concert de rock, d'autres ont plus de mal à s'isoler mentalement et ont le réveil plus facile.

▶ Je crois, pour résumer, qu'il est bon de laisser la porte de la chambre de l'enfant entrouverte, surtout s'il y dort seul, afin qu'il puisse rester, de loin, en contact avec les **bruits domestiques**, les **activités de ses aînés** et les **voix de ceux qu'il aime**.

Notons au passage que la télévision ne fait pas partie de celles-ci.

Ces voix étrangères, impersonnelles, qui ne parlent à personne mais rendent les parents indisponibles et impatients de conclure la mise au lit, peuvent parfois provoquer une inquiétude.

Alors l'enfant va se relever pour voir ce qui se passe de si intéressant, et s'assurer qu'il l'est lui-même, à vos yeux, encore davantage.

L ES DÉBUTS
DE LA DISCIPLINE

Jusqu'à un an, la question de la discipline ne se posait pour ainsi dire pas. Il s'agissait avant tout de respecter les besoins de l'enfant et de lui donner confiance en lui-même et en ses parents. Les «bêtises» ne pouvaient être réellement sanctionnées, puisque l'enfant n'était pas encore responsable de son comportement. Il était impossible d'exiger de lui de contrôler ses actes : il en était incapable. Simplement, la sagesse voulait qu'on ne favorise pas trop l'arrivée des caprices en offrant systématiquement à l'enfant plus qu'il n'avait demandé.

A partir de l'âge d'un an, les perspectives changent. Son champ d'investigation s'agrandit à la dimension de sa curiosité. La marche lui offre de nouveaux espaces et il part en exploration avec un grand enthousiasme. Pendant cette période, l'enfant va avoir **besoin de beaucoup d'espace et de beaucoup de liberté** : il a tant à apprendre ! Trop de restrictions ou d'empêchements risquent de miner sa confiance en lui et de détruire sa curiosité.

C'est pourtant aussi l'époque où vont devoir se mettre en place les **premiers interdits**. Les parents vont s'apercevoir qu'ils disent «non» à leur enfant de plus en plus souvent. Il veut toucher à tout, mais il abîme ou il casse. Il lui arrive de frapper ou de mordre. Il supporte mal qu'on s'oppose à ses désirs. D'ailleurs, il ne va pas comprendre tout de suite la valeur de ces premiers interdits. Est-ce juste un mot que maman prononce comme cela, ou bien a-t-il plus de valeur ? Est-il valable pour aujourd'hui seulement ou sera-t-il encore valable demain?

Toutes ces questions que se pose votre enfant sont déterminantes pour l'avenir de son éducation. Aussi ne vous étonnez pas s'il cherche les réponses à travers ce que vous appelez de la provocation et qui sont le plus souvent des tests. Même s'il vous regarde droit dans les yeux en refaisant ce que vous venez juste d'interdire, ne croyez pas qu'il soit sourd ou veuille vous agacer. C'est plus simple que cela : il apprend.

▶ Comment réagir face à l'enfant de cet âge? La marge de manœuvre est assez étroite. Disons que vous devez mettre votre enfant en «liberté surveillée». Voilà comment vous pouvez vous y prendre.

■ **Aménagez l'espace** où évolue votre enfant de façon à ce qu'il le fasse en toute sécurité pour lui-même et pour les objets auxquels vous tenez.

■ **Limitez vos interdictions** à un petit nombre, sinon vous passerez votre temps à essayer de les faire respecter ou à crier et vous avez mieux à faire avec votre enfant.

En revanche, arrangez-vous pour que votre enfant comprenne que vos «*non*» sont **de vrais «*non*»** et pas seulement des mots qu'on peut ne pas entendre. Montrez-lui dès maintenant que votre patience et votre volonté sont supérieures à la sienne.

■ Si vous voyez votre enfant se livrer à une activité interdite, **redirigez son attitude** sur autre chose plutôt que d'entamer un rapport de force. C'est encore relativement simple à cet âge. Une phrase comme : *«Oh! Regarde ce qu'on voit par la fenêtre!»* marche à tous les coups et vous laisse un peu de temps pour trouver ce que vous allez effectivement lui montrer.

■ Les interdits sont mieux acceptés lorsqu'ils sont **expliqués** brièvement mais clairement, à plusieurs reprises.

De même s'ils sont **compensés** par des comportements qui sont, eux, autorisés.

Par exemple : *« Non, je t'interdis d'écrire sur les murs de la maison. Ce n'est pas bien. Mais si tu veux écrire librement, tu peux le faire sur le grand tableau qui se trouve au mur de ta chambre. »*

Ou encore : *« Il est interdit de donner des tapes au chien. Cela lui fait mal et il risquerait de te mordre. Mais tu peux le caresser gentiment. Donne-moi ta main, je vais te montrer comment faire. »*

■ **Le désir principal de l'enfant de cet âge n'est pas d'embêter ses parents mais de leur faire plaisir.** Il est ravi d'obéir quand cela est compatible avec son besoin d'exploration. Aussi faut-il le récompenser et manifester largement son contentement quand il se livre à un comportement «autorisé». Les autres ne méritent pas de punitions ni de disputes.

A LIMENTATION : QUE MANGE-T-IL ?

Les repas de votre enfant vont beaucoup évoluer au cours des mois qui viennent. D'une part, il va commencer à manger **seul**. D'autre part, en fonction de sa dentition, vous allez pouvoir laisser de côté le mixer de plus en plus souvent et introduire des **morceaux** dans son alimentation.

Pour la viande en morceaux, mieux vaut attendre le trimestre suivant. Mais tous les autres aliments peuvent être donnés en petits morceaux ou, au début, écrasés à la fourchette.

De même qu'il ne faut pas continuer à nourrir exclusivement votre enfant au-delà de dix-huit mois environ, mais lui confier une cuiller, de même je vous conseille vivement de ne pas vous servir systématiquement du mixer au cours des mois qui viennent, mais d'habituer doucement votre enfant aux morceaux. Sinon, il risque d'avoir de plus en plus de mal à les accepter et à ne toujours pas vouloir se servir de ses dents à l'approche de ses deux ans.

Une fois le stade des morceaux atteint, **le régime se diversifie** très rapidement. Vous verrez qu'à deux ans, votre enfant mangera de tout. Il sera curieux de tout goûter et ses préférences risquent de vous surprendre : j'en connais, à cet âge, qui se sont pris de passion pour les cornichons, le poisson fumé et le roquefort !

Vous trouverez ci-dessous un exemple de repas tels qu'ils peuvent être composés entre un an et deux ans (au-delà, votre enfant mangera de tout et partagera, à table, le repas familial). Mais attention : un exemple n'est pas une

consigne. Vous seul connaissez votre enfant et pouvez tenir compte de deux facteurs essentiels :
— **ses goûts et ses dégoûts**, variables d'un mois à l'autre, mais néanmoins respectables ;
— **son appétit**, qui déterminera seul la quantité à lui donner.

Un régime équilibré, comprenant quatre repas par jour, alternant harmonieusement tous types d'aliments, donnés à un enfant à l'appétit égal, est un mythe qu'il vaut mieux dénoncer tout de suite si vous ne voulez pas vous consumer d'inquiétude dans les mois à venir. Les menus qui suivent indiquent des aliments qui sont bons pour un enfant de cet âge, ce qui ne signifie pas qu'il doive absolument les apprécier tous et en quantités égales.

Vous ne trouverez dans ce livre aucune référence concernant la quantité de tel ou tel aliment que votre enfant doit manger à tel ou tel âge. Je l'ai dit : tout dépend de son appétit et de ses goûts, et cela est très variable d'un enfant à l'autre. Fournir des chiffres ne pourrait qu'accroître l'inquiétude des parents déjà convaincus, pour la moitié d'entre eux, que leur enfant ne mange pas assez. Votre enfant mange assez, non pas s'il a avalé de mauvaise grâce ses cinquante grammes de steak haché et ses deux cuillerées d'épinards, mais s'il est actif et en bonne santé.

PETIT DÉJEUNER

A un an, l'enfant est encore souvent au biberon le matin. Dans ce cas, il prend généralement **210 grammes de lait**, auquel on ajoute des farines instantanées aux parfums variés.

Quand l'enfant ne boira plus au biberon, il devra néanmoins continuer à prendre une quantité raisonnable de lait, qui peut être remplacée par un yaourt ou du fromage.

Mais si l'enfant tient à son biberon du matin et le boit avec appétit, il n'y a aucune raison pour le supprimer et le remplacer arbitrairement par un bol.

Le petit déjeuner est un **repas important** qui ne doit pas être négligé. Il est fréquent que les enfants aient peu d'appétit à ce moment-là, surtout s'ils sont bousculés pour partir à la crèche ou chez l'assistante maternelle.

En cherchant bien ce qu'il aime, et en lui proposant un choix, il est rare qu'on ne trouve pas ce qui plairait à l'enfant. Voici quelques idées :

— **Lait aromatisé, bouillie.**

— **Yaourt, fromage blanc, petit suisse...**

— **Céréales dans du lait, muësli, flocons d'avoine...**

— **Jus de fruits, jus de légumes, fruits frais (banane, pomme, kiwi, par exemple).**

— **Tartine de miel, de confiture, de fromage fondu...**

DÉJEUNER

Pour presque tous les enfants dont les mères travaillent, le déjeuner est donné en dehors de la maison. Il est généralement prévu de manière équilibrée et adéquate. Voici ce qu'il peut comporter, à titre d'exemple :

— **Une entrée sous forme de crudités.**
— **Un plat principal fait en alternance d'une viande, d'un poisson ou d'un œuf, accompagné de légumes à varier le plus possible.**
— **Un fromage ou un yaourt et/ou un fruit, une compote ou un entremets.**

Nombreux sont les enfants qui ne veulent pas de certains légumes : soit vous les oubliez un temps, soit vous les insérez dans une soupe ou une purée de pommes de terre (pendant longtemps encore les aliments en purée ou hachés seront préférés aux aliments en morceaux).

De la même façon, viandes et poissons peuvent être acceptés ou refusés selon la manière dont ils sont cuisinés.

Mais la gamme des aliments possibles est suffisamment vaste pour ne pas avoir à se bagarrer contre un refus spécifique : mieux vaut trouver un autre aliment possédant des propriétés équivalentes.

GOUTER

Ce petit repas va rester important pendant des années. À l'âge scolaire, c'est souvent celui où l'enfant se sent le plus d'appétit. Raison de plus pour ne pas le nourrir exclusivement de pains au chocolat et de gâteaux secs.

Tout goûter devrait comporter un laitage (lait ou dessert lacté), ou bien un jus de fruits si un laitage a déjà été donné en dessert pour le déjeuner.

Selon l'appétit de l'enfant, il peut prendre également des céréales, du pain d'épices, une tartine, etc.

La « baguette viennoise » est très appréciée des jeunes enfants et se mange souvent plus facilement qu'un autre type de pain.

Faites preuve d'imagination pour recouvrir les tartines : miel, confiture, fromage fondu, chocolat râpé, pâte à tartiner...

DINER

Le menu du dîner tient idéalement compte de ce que l'enfant a mangé au déjeuner. Il n'a pas besoin de comporter de viande ni de poisson si l'enfant en a mangé dans la journée.

> La soupe continue le plus souvent à former la base du dîner, mais vous n'êtes pas limité au potage de légumes (moitié légumes verts, moitié féculents) : essayez les bouillons avec des petites pâtes ou du vermicelle, les crèmes de tomate, les potages au cresson, etc.
>
> Le plat principal du dîner peut également se composer d'une assiette de riz ou de pâtes si l'enfant a mangé des légumes à midi.
>
> Enfin, vous pouvez, selon les jours, proposer un œuf (à la coque ou dur) ou une tranche de jambon.
>
> Au dessert, les enfants adorent le riz au lait ou le gâteau de semoule qui complètent bien une soupe légère, mais une compote ou un entremets font aussi bien l'affaire.

A ÉVITER

Vous voyez que ce régime n'est ni très compliqué ni très particulier. C'est un régime que pourrait presque adopter l'ensemble de la famille. Mais votre enfant est encore trop jeune pour un certain nombre d'aliments qui, s'ils sont donnés, doivent l'être en quantité très réduite. Ce sont, d'une manière générale :

☐ **les fritures** et tout ce qui est cuit dans la graisse (préférez les cuissons à la vapeur, au court-bouillon, en papillote, ou nature au four à micro-ondes) ;

☐ **les aliments trop gras** (pâtisseries, crèmes au beurre, sauces, charcuteries autres que le jambon) ;

☐ **les aliments trop sucrés :** bonbons, confiseries, crèmes glacées, sodas. Cela lui coupe l'appétit sans vraiment le nourrir et en renforce le désir. Il sera bien temps qu'il en mange quand il sera plus grand et que vous ne pourrez plus contrôler son alimentation de la même façon.

LES PETITS POTS ET LES SURGELÉS

Il se trouve encore des parents qui hésitent à donner à leur enfant un repas composé à partir de petits pots pour bébés ou de surgelés.

En fait, ces produits, si l'on respecte bien les dates limites de consommation et, pour les surgelés, la chaîne du froid, sont tout à fait bons pour votre enfant. Ils permettent de **varier les repas** et de **gagner un temps fou**. Quel parent a encore le temps, le soir, d'éplucher, de cuire et de mixer amoureusement une carotte, un fond d'artichaut et dix haricots verts ?

Je ne recommande pas une nourriture exclusivement à base de petits pots, car leur goût et leur consistance sont tout de même assez éloignés de la « vraie » nourriture. En revanche, ils dépannent très efficacement et se réchauffent facilement au cours d'une balade ou d'un déplacement.

Les magasins de surgelés offrent aujourd'hui un choix important de **légumes en purée présentés en boules** et de mélanges de légumes **en petits dés** qui sont fort pratiques et permettent de disposer de légumes « frais » même hors saison.

Quant à votre congélateur, il vous permet de **congeler vous-même des petites quantités de soupe maison** que vous aurez sous la main, prête, pour plusieurs jours.

L'ENFANT DE 15 A 17 MOIS

Q UI EST L'ENFANT DE 15 A 17 MOIS ?

PERSONNALITÉ

Quinze mois est une étape importante pour la plupart des jeunes enfants, bien plus que ne l'est un an par exemple, car c'est à cet âge que **la marche** est réellement acquise et solide. Ceux qui ne marchent pas encore se décideront très bientôt.

Or, c'est là que s'effectue le basculement tant sur le plan physique que sur le plan psychologique. C'est toute la vision du monde qui change quand on ne le voit plus du ras du sol, mais c'est aussi, et vous le constaterez bientôt, le rapport au monde et à ceux qui l'occupent. Debout, on se sent plus fort et on revendique des droits...

Mais marcher, c'est aussi **pouvoir s'échapper**. L'enfant est à l'âge terrible où il vous glisse entre les mains à tout propos. Pour lui, il s'agit le plus souvent d'un jeu et il adore que vous lui courriez après en faisant semblant d'être un loup. Pour vous qui marchez sur le trottoir près des voitures ou vous faufilez dans les allées d'un magasin, c'est beaucoup moins drôle...

Mais son **sens de l'humour** va croissant, il adore faire des blagues, faire le clown, alors ne boudez pas son plaisir et le vôtre. Passer du temps à rire ensemble vous sera précieux par la suite : beaucoup de petits conflits sont plus faciles à gérer s'ils sont traités par l'humour et savoir rire de soi est un acquis important.

D'autant que tout n'amuse pas l'enfant. Le décalage entre tout ce qu'il aimerait faire (enfiler ses chaussons, habiller sa poupée, fermer la porte qui est bloquée par un jouet, etc.) et le peu qu'il est capable de réaliser provoque en lui un sentiment de **frustration** qui n'ira qu'en s'aggravant au cours des mois suivants.

LE DÉVELOPPEMENT PHYSIQUE

Ce trimestre est essentiellement, sur le plan physique, consacré à la **consolidation des acquis**. Maintenant que l'enfant commence à savoir marcher, il va occuper une grande part de son temps à acquérir de l'assurance dans ce nouveau mode de locomotion.

Cela va lui prendre plusieurs mois pendant lesquels la marche sera encore branlante et les chutes nombreuses, ce qui ne l'empêchera pas d'expérimenter peu à peu d'autres manières de marcher : en trottinant, en flânant, en courant, puis à reculons...

Malgré son plaisir évident de marcher, la fatigue vient vite et la poussette est encore la bienvenue pour les promenades ou les courses.

L'escalade est encore, et pour un bon moment, bien tentante. Escalader les barreaux de son lit ou sa chaise haute, grimper sur les canapés ou, pourquoi pas, traiter les étagères de la bibliothèque comme les barreaux d'une échelle, sont des exploits courants. L'ascension de l'escalier est aussi bien intéressante, mais la descente s'avère beaucoup plus délicate.

La marche libérant les mains qui étaient occupées dans le « quatre pattes », l'enfant devient brusquement **un vrai « touche-à-tout »**. Plus rien de ce qui lui est accessible ne lui échappe. La tâche est rude pour les parents qui ne peuvent passer leur temps à imaginer toutes les bêtises possibles : cendrier vidé, étagère renversée, rouleau de papier de toilette déroulé, poubelle explorée, etc.

L'enfant s'intéresse tout particulièrement à cet âge à explorer les notions de **dur** et de **mou**. Qu'il s'agisse de caillou, boue, terre, ou eau, son étude le pousse à taper, à cogner, à manipuler ou à porter à la bouche.

Grâce à des mains plus habiles, il commence aussi à savoir **lancer un objet**, comme un ballon par exemple, et à lâcher au bon moment. Ces actions nous paraissent simples, mais c'est une erreur. Lâcher au bon moment, par exemple, témoigne, bien plus qu'attraper, d'une maturation déjà importante du système nerveux et musculaire et présente pour l'enfant de cet âge un véritable exploit.

Enfin, il commence à **griffonner** spontanément avec un crayon, mais sans bien réaliser le rapport entre l'acte et le résultat.

REPAS

L'enfant arrive à l'âge où sa courbe de croissance va se ralentir. Si l'on ajoute à cela sa vive curiosité et son envie de s'échapper des contraintes, on comprend qu'un enfant, qui avait jusque là parfaitement fini ses purées et ses soupes, se mette à poser des problèmes à ses parents en devenant un **mangeur plus difficile**.

Ce virage est très important à négocier pour l'avenir de la relation et l'ambiance des repas au cours des années qui viennent. Il est important que les parents se gardent bien de montrer à leur enfant à quel point ils sont contrariés et inquiets de son manque d'appétit.

Manger n'est pas un exploit lorsqu'on a faim et ne mérite aucune félicitation. S'abstenir de manger lorsque l'on n'a pas faim ne justifie ni opprobre, ni clowneries, ni chantage.

► Dès que l'enfant joue avec la nourriture ou dès qu'il la refuse, la meilleure attitude consiste à retirer l'assiette en disant : « *Il semble que tu n'aies plus faim. Dans ce cas, tu as raison de ne pas te forcer. Mais j'aime mieux que tu joues avec autre chose qu'avec tes coquillettes. »* S'il ne reçoit rien d'autre à manger jusqu'au repas suivant, il s'y rattrapera en mangeant de meilleur appétit.

Les parents évitent, en procédant ainsi, de laisser croire à leur enfant qu'il mange pour leur faire plaisir, ce qui lui fournirait une arme de rêve pour les contrarier. Et ce qui est faux : il mange à la fois pour se nourrir et pour le plaisir et ne se laissera jamais mourir de faim.

LANGAGE

Le vocabulaire actif prononcé par un enfant de cet âge se compose de très peu de mots, dix à vingt environ au cours de ce trimestre. Mais ces mots sont chargés de beaucoup de sens différents qu'il est généralement assez facile de comprendre en fonction du contexte.

Pour apprendre des mots nouveaux, l'enfant **s'entraîne à répéter ceux qu'il entend** afin d'en posséder la prononciation. Il commence aussi à enrichir son vocabulaire d'un nouveau mot que vous n'avez pas fini d'entendre : « **non** ». Ce petit mot va prendre au cours du trimestre une grande force et se trouver doté d'une formidable efficacité.

L'enfant qui refuse devient un partenaire actif du dialogue : il ne se contente plus de subir les désirs de l'autre, mais il affirme son point de vue avec force. Que ce point de vue soit systématiquement l'opposé de celui de ses parents témoigne assez de sa volonté d'indépendance et de son désir d'être pris au sérieux comme un membre de la famille à part entière.

L'enfant enrichit aussi très vite son vocabulaire « passif », c'est-à-dire celui qu'il est capable de comprendre et non d'utiliser. Il est heureux de comprendre ce que vous lui dites et de vous le prouver. Pour cela, son grand plaisir est d'**obéir aux demandes verbales** des adultes.

Il a de plus l'impression d'aider et de se rendre utile si vous lui demandez gentiment de bien vouloir allumer la radio, aller chercher son pyjama dans sa chambre, jeter une vieille enveloppe dans la corbeille ou vous passer la cuiller qui est sur la table.

JEUX ET JOUETS

Vider-transvaser-remplir reste parmi les jeux favoris de l'enfant de quinze mois. C'est pourquoi il prend beaucoup de plaisir à la «patouille», ces jeux d'eau merveilleux auxquels l'enfant peut passer tant de temps.

Une baignoire ou une grande bassine posée sur le sol, un filet d'eau, un entonnoir, une éponge, des récipients incassables, et voilà votre enfant passionné et calme.

La marche, parce qu'elle libère les mains, permet tous les **jouets que l'on tire sur le sol** à l'aide d'une ficelle. Un chariot bas et stable permet de nombreux jeux, mais les jouets qui font du bruit lorsqu'on les tire ont aussi beaucoup de succès. L'enfant commence aussi à aimer plus particulièrement :
— les boîtes ou les cubes gigognes,
— les pots que l'on empile,
— les grosses briques faciles à manipuler qui sont l'ébauche du premier jeu de construction,
— les animaux à bascule,
— les poupées souples.

D'une manière générale, il préfère les **objets de la vie quotidienne** à ses jouets manufacturés : à vous de trouver dans la maison, la cuisine ou l'établi, ce que vous pouvez lui confier sans craintes ni pour lui ni pour l'objet.

Enfin l'enfant de cet âge aime l'ordre : il prend plaisir à **aider à ranger**. Il repère aussi tout de suite ce qui n'est pas à sa place habituelle et n'a de cesse que de l'y remettre.

Il aime les habitudes et la répétition : toujours le même menu, le même horaire, le même trajet, toujours la même histoire ou la même comptine, cela lui conviendrait parfaitement…

L A PREMIÈRE POUPÉE

Avec les débuts du langage, commencent les jeux de **« faire semblant »**. Les petits garçons, comme les petites filles, se mettent à imiter leurs parents. Laurent, seize mois, donne à manger à son ours. Amélie, au même âge, se raconte des histoires (incompréhensibles à tout autre qu'elle) en déplaçant des personnages.

Cette étape est très importante pour l'enfant. Imiter son papa ou sa maman, c'est déjà se mettre à la place des autres. Mais c'est aussi **exprimer ses propres idées** et **construire sa confiance en soi**.

Il est temps d'offrir à votre enfant sa première vraie poupée, celle qui lui permettra de faire « comme si ». Celle que l'on aime et que l'on dispute, que l'on habille et que l'on nourrit, celle dont on est parent mais qui reste un peu soi. Celle, surtout, qui apprend à grandir.

Car c'est sur cette poupée que l'enfant va reproduire ce qu'il vit et ce qu'il découvre. En câlinant sa poupée, en la grondant ou en la nourrissant, l'enfant projette une image de lui-même. Sa poupée lui fait revivre ses émotions, ses plaisirs et ses chagrins.

Poupon, poupée de chiffon, baigneur sexué, comment bien choisir la première poupée de votre enfant ? A cet âge, une règle prime : **plus un jouet est simple, plus il permet de développer l'imagination**.

Fuyez donc la poupée qui chante, pleure et dit *« Bonjour Maman ! »*. Une bonne poupée n'a pas besoin non plus de marcher, de boire et de faire pipi. Ces poupées-là sont généralement fragiles et encombrantes pour des petits enfants.

On peut même dire, au contraire, que plus la poupée en « fera » par elle-même et moins l'enfant sera libre de lui en faire faire. D'une poupée qui vous dit « *Maman* », on peut faire son propre enfant, mais pas une image de soi-même ni la maman d'une autre poupée.

Une petite fille ne s'identifiera pas avec un baigneur doté d'un sexe de garçon (et réciproquement). De plus, une poupée « multifonctions » est généralement grande et lourde (il faut la place des piles et du mécanisme), si bien que l'enfant a du mal à la prendre dans ses bras.

▶ Choisissez la sienne **pas trop grande**, tenant bien dans les bras de l'enfant (comme vous avec lui…).

Un corps souple, en tissu, sera plus facile à habiller et plus doux pour qui s'endort dessus. Mais vous pouvez également choisir une poupée que l'on puisse plonger avec soi dans la baignoire.

Beaucoup d'enfants préfèrent que la poupée ait des cheveux. Mais l'essentiel reste qu'elle soit dotée d'un **regard avenant**. Si vous en trouvez une qui partage quelque peu le type physique de votre enfant (couleur de la peau, des yeux, des cheveux), c'est encore mieux.

Ce qui est important, c'est que cette poupée suscite un échange affectif avec l'enfant, qui pourra l'animer et recréer ainsi un monde à la taille de son imagination.

Pour l'offrir, vous pouvez la glisser dans un petit lit ou un couffin à sa taille : l'enfant a plaisir à coucher sa poupée, le soir, au moment où lui-même se met au lit. Vous disposez de quelques chutes de tissu ? Fabriquez pour la poupée quelques vêtements amples, qui ferment avec des élastiques et des petits morceaux de bandes type « Velcro ». Ils sont plus faciles à mettre et à enlever que ceux que l'on vend dans le commerce. Beaucoup moins chers également…

ET SI VOTRE FILS VOUS RÉCLAME UNE POUPÉE ?

Bien des parents pensent au fond d'eux-mêmes que cette demande n'est pas tout à fait « normale ». Ne signifierait-elle pas que l'enfant développe des tendances féminines ?

C'est plus simple que cela. Peut-être votre fils a-t-il vu jouer une petite fille et son plaisir apparent lui a donné envie d'en faire autant ? Peut-être a-t-il un petit frère ou une petite sœur et cherche-t-il à imiter sa maman qui s'en occupe ? Peut-être est-il, au contraire, enfant unique, et cherche-t-il un support (la poupée) pour s'inventer un compagnon de jeu ?

Prendre plaisir à s'occuper d'un enfant, c'est bien ce que l'on attend aujourd'hui des « nouveaux » pères. Ils n'y laissent pas pour autant leur virilité !

Il découle de tout cela que non seulement **vous pouvez tranquillement accéder au désir de votre fils**, mais qu'au contraire, lui interdire les jeux de filles pourrait être dommageable. Cela risque de lui mettre à l'esprit l'idée que son « être masculin » n'est pas une chose évidente, acquise, mais qu'il peut être remis en question en fonction des activités auxquelles il se livre. **Ne créons pas un problème** là où n'existe qu'un désir tout à fait légitime.

LA PROPRETÉ : SA SIGNIFICATION

LA CONTINENCE

Il est incroyable de voir à quel point les parents s'inquiètent et se compliquent la vie pour ce qui n'est somme toute qu'une évolution naturelle de la maturité de leur enfant.

La seule chose qui relève d'un apprentissage, c'est la « technique » de la propreté (où faire, quand et comment), particulière à notre civilisation. Mais la continence, elle, qui se définit comme **le contrôle et la maîtrise des fonctions d'excrétion**, est naturelle.

Tous les mammifères sont continents. Dans des pays ou des civilisations où les parents ne s'occupent pas de l'apprentissage de la propreté comme c'est le cas chez nous, les enfants sont « propres » aussi, vers deux ou trois ans, sans histoires, par l'évolution du corps et par l'imitation.

Tout enfant, sauf problème physique (très rare) ou psychologique particulier, devient propre **entre dix-huit mois et trois ans**, même si on ne le dresse pas. L'éducation permet de gagner quelques mois. Le reste est une question de maturation et de satisfaction : tout ce que les parents ont à faire est d'expliquer clairement ce qu'ils attendent de l'enfant.

Malheureusement, même si les choses ont beaucoup évolué depuis une vingtaine d'années, elles ne sont pas encore si simples dans l'esprit de tous les parents.

POURQUOI SOMMES-NOUS SI PRESSÉS ?

Je pense qu'un enfant, avant dix-huit mois, est trop jeune pour qu'on exige de lui qu'il soit continent. J'ai volontairement placé ce chapitre ici afin de tenter de convaincre les parents qui voudraient déjà démarrer cet apprentissage.

Pourquoi être si pressés ? Les changes-complets, même si leur prix est élevé, offrent un très haut niveau de confort, pour les parents comme pour l'enfant, par rapport aux couches qu'il fallait laver chaque jour. Les conditions d'hygiène de nos pays sont bonnes. A tel point, peut-être, qu'on ne supporte plus les odeurs et les émissions corporelles. Les parents se sentent pressés également parce que, dans une société de compétition comme la nôtre, il faut être le meilleur, le plus rapide.

Partir tôt pour arriver... où ? Un enfant que l'on maintient sur le pot est un enfant qui n'occupe pas ce temps pour grimper, sauter, expérimenter, dessiner, développer son intelligence. Il y a tellement d'autres choses plus intéressantes à faire avec lui que de s'occuper de ses selles ! Soyez tranquilles : l'âge de la propreté n'a strictement rien à voir avec tout autre indice de développement.

Il conviendrait également de s'intéresser à ce mot « propreté » qui est couramment utilisé pour parler de la continence dans notre langue. Est-ce à dire qu'avant l'enfant est « sale » ? S'il touche la terre, dans le jardin, on lui dit : « *Ne touche pas, c'est caca, c'est sale.* » Est-ce une bonne façon de se faire comprendre de l'enfant à qui l'on demandera ensuite d'offrir ses selles comme un cadeau ?

J'insiste beaucoup sur l'aspect naturel des choses pour que vous compreniez qu'une intervention trop stricte des adultes peut être dommageable. A un âge déterminé par nous, on demande à l'enfant de faire dans un pot à une heure décidée par nous. Il ne s'agit plus de satisfaire un besoin physiologique mais de répondre au plaisir de l'adulte, ce qui est très différent et lourd de conséquences dans son rapport à son propre corps. On ne peut rendre propre un enfant qui n'y consent pas, et en insistant on va droit aux conflits sans fin.

C'est encore un pas supplémentaire qu'il faut faire pour le respecter vraiment dans son développement. Nous verrons que ce qui peut ressembler à un véritable dressage n'est pas sans conséquences sur la personnalité de l'enfant. **Respecter l'enfant**, c'est lui laisser le temps d'exprimer sa capacité à être propre (couche sèche, capacité à se retenir, accord pour faire dans le pot, etc.), mais **c'est aussi accepter qu'il ait son rythme à lui**, peut-être différent de celui du fils de la voisine.

■ UN NIVEAU DE MATURITÉ NÉCESSAIRE

On peut bien entendu donner l'apparence de la propreté à un enfant plus jeune : il fait dans son pot au moment où on l'y pose. Mais il s'agit alors soit d'une coïncidence (on a observé à quel moment le besoin survenait), soit d'un conditionnement, pas d'un apprentissage. On n'enseigne pas la propreté comme on dresse un animal. Aussi est-il nécessaire :

■ que l'enfant soit **en âge de comprendre** ce qu'on attend de lui ;

■ que l'on demande à l'enfant **un effort qu'il soit en mesure de fournir** sans trop de difficultés.

Être propre, c'est-à-dire se retenir jusqu'à ce qu'on se trouve dans un endroit approprié, est une étape du développement que l'on ne peut forcer, car elle demande un **niveau de maturité suffisant** dans trois domaines.

Maturité **neuro-musculaire** d'abord : les muscles sphinctériens doivent être assez forts et sous contrôle volontaire, le système nerveux suffisamment développé et coordonné.

Maturité **intellectuelle** ensuite : c'est la condition pour que l'enfant comprenne l'attente des parents et que son niveau de langage lui permet de «demander» lorsque l'envie s'en fait sentir.

Maturité **affective** enfin : l'enfant doit être sorti de sa phase d'opposition maximale, se sentir en bon équilibre et avoir envie de faire plaisir à ceux qu'il aime.

LA MOTIVATION DE L'ENFANT

Qu'est-ce qui va décider un enfant à faire l'effort de quitter ses couches pour faire où on lui demande ?

■ Il a envie de grandir, donc il va être tenté de faire comme les grands : c'est un argument très fort et l'observation de ses aînés est souvent déterminante.

■ Il a envie d'être propre parce que, il va vite l'expérimenter, c'est plus confortable de crapahuter en petite culotte ou en slip qu'en couches.

■ Enfin, il a besoin de l'amour et de l'admiration de ses parents. Maman a l'air tellement contente lorsqu'il lui offre ses excréments dans le pot bleu, qu'il faudrait être vraiment très contrariant ou très fort pour les lui refuser !

Un enfant qui se développe bien trouve rapidement en lui cette motivation pour peu que l'on ait attendu le moment où il y était prêt. Alors la propreté vient en quelques jours.

LES RISQUES

Forcer un enfant à la propreté alors qu'il n'y est pas prêt, c'est prendre un risque important avec son devenir. C'est une violence faite à son corps, et elle laissera des traces.

Chez certains, la conséquence sera seulement une constipation rebelle. Chez d'autres, une inhibition dans l'habileté manuelle, corporelle, puis verbale. Le caractère de l'enfant peut devenir durablement entêté, coléreux, opposant. Enfin, certains enfants conditionnés trop tôt à la propreté par un dressage sévère souffriront d'une «énurésie secondaire» (retour du pipi au lit après avoir été propres) dont ils auront bien du mal à se débarrasser.

Aucun parent ne souhaite cela pour son enfant. Alors détendons-nous, et voyons la propreté comme un acquis naturel, qui viendra en son temps, sans difficultés.

L'ENFANT ET L'ANIMAL

Le mythe de la complicité entre l'enfant et l'animal remonte, semble-t-il, très loin dans l'Antiquité. Voyez l'histoire de Romulus et Remus... Aujourd'hui, dans nos sociétés techniques et urbaines, le mythe imprègne plus que jamais la vie de l'enfant.

On le retrouve très tôt dans les **peluches** que l'on offre aux bébés : ours, lapin, chat, chien, mais aussi âne, girafe, poussin ou hippopotame.

Puis dans les **petites histoires** des journaux ou des livres pour enfants : du Petit Ours Brun à Gertrude l'Autruche, on propose à l'enfant de se projeter dans un petit du règne animal et de partager sa vie et ses émotions. Les animaux sont souvent habillés, ils parlent, mais cela ne dérange nullement l'enfant.

Au stade suivant, les films, **dessins animés** ou feuilletons prennent la relève : la popularité des films de Walt Disney, puis celle de Belle et Sébastien, Lassie ou l'Étalon noir, des ouvrages comme Tintin et Milou, Le Petit Prince, en témoignent largement.

Au stade des **vrais films**, les animaux sont mis à leur place réelle et c'est la complicité entre l'enfant et l'animal qui est célébrée. L'animal est le consolateur, l'ami, le sauveteur, le confident.

Tout cela met en évidence à quel point les enfants se sentent spontanément proches des animaux, même si leur entourage en est largement dépourvu. Faut-il pour autant en adopter un ? Si vous les aimez, si votre logement et que votre emploi du temps le permettent, si vous êtes prêt à vous engager sur des années, pourquoi pas ? Pour votre enfant, ce sera une grande source de joie, de découvertes et d'expériences.

▶ Quel animal choisir? La perruche en cage, la tortue ou le poisson rouge, même s'ils attirent joyeusement l'attention de l'enfant, permettent peu d'échanges véritables et de compréhension réciproque.

En fait, ce qu'aiment les jeunes enfants, c'est **caresser l'animal** (d'où le succès des peluches) et pouvoir se frotter contre lui. Ce contact doit donc pouvoir être à la fois possible et doux.

Ils aiment aussi avoir un **compagnon de jeu**, qui ne rechigne pas à la tâche et qui est d'une taille compatible avec la leur (le poney comme la souris blanche paraissent inadaptés à cet âge). Un ami libre de ses mouvements, et non enfermé dans une cage, un aquarium ou un clapier.

Finalement, que reste-t-il? **Un chien, voire un chat**. Un chat docile et affectueux, ou un chien d'une taille moyenne, pas trop jeune, gentil. Le chat sera souvent moins docile et moins patient, mais les occasions de conflit seront également moindres (le chat sait préserver sa tranquillité).

Avec un chat dans la maison, il faudra veiller à de bonnes conditions d'hygiène (brosser le chat, changer régulièrement sa litière, etc.).

Le chien sera plus disponible, mais le premier contact risque d'être délicat. Il est bon de laisser le chien renifler l'enfant, le flairer, voire le lécher. Quand il s'en sera fait un ami, il ne manifestera plus de jalousie et ce sera entre eux « à la vie, à la mort ».

▶ Attention, à un an, on a des gestes souvent brusques et pas très bien contrôlés. Vous devez être absolument **sûr** de votre animal de compagnie, savoir qu'il ne fera aucun mal à l'enfant. Malgré tout, il n'est pas souhaitable de les laisser ensemble dans une pièce sans surveillance : on ne sait jamais ce qu'il peut arriver.

Très vite, il faudra aussi **apprendre à l'enfant à respecter l'animal**, ses droits et ses besoins. Même à cet âge, il ne faut jamais admettre de l'enfant qu'il torture l'animal. Chaque fois que vous êtes témoin d'une scène ou seulement d'une menace, il est nécessaire d'arrêter l'enfant et de rediriger fermement et gentiment sa main en une caresse et non plus en un coup.

Apprenez-lui à **comprendre les signes d'alerte**, par exemple lorsque le chien grogne, ou lorsque le chat tend brusquement une patte toutes griffes dehors. On ne va pas rechercher un animal qui s'est réfugié dans une autre pièce pour y être tranquille, pas plus qu'on ne dérange un animal au cours de son repas. Une fois ces quelques règles acquises, les rapports entre l'enfant et l'animal deviendront vite une source de joie et d'épanouissement affectif.

L E MANQUE D'APPÉTIT

Nous reviendrons, au trimestre prochain, sur le problème, si fréquemment évoqué par les parents, de l'enfant qui *« ne mange rien »*. Mais dès maintenant, il est important de dire certaines choses sur l'appétit de l'enfant qui, si elles étaient mieux connues, éviteraient bien des conflits aux heures des repas.

Qu'un enfant ait moins d'appétit parce qu'il est malade, toute mère est prête à le comprendre et à l'accepter... pour peu que cela ne dure pas trop longtemps. Mais qu'il n'ait pas faim et soit en parfaite santé, voilà qui est inadmissible et inquiète bien davantage la mère nourricière. Alors que tout va bien pour l'enfant, qui réagit simplement comme tout enfant normalement constitué, et dont la courbe de croissance ne marque aucun fléchissement. Jusqu'ici, pas de problème, qu'un appétit variable comme tous les appétits. Mais que les parents ne l'admettent pas et s'angoissent, et les vrais problèmes vont se mettre en place.

Aussi faut-il dire clairement les choses suivantes :

■ **A partir de l'âge d'un an, l'appétit de l'enfant diminue** et ses besoins également. Ce mécanisme est physiologiquement normal.

D'autre part, l'enfant a des goûts et des dégoûts alimentaires plus nets et il est plus à même de les manifester. Pour être nets, ces dégoûts n'en sont pas moins changeants et tel plat aimé la semaine dernière peut parfaitement être refusé aujourd'hui.

■ **L'appétit peut être variable d'un repas à l'autre**, d'un jour à l'autre, et cela sans raison apparente. Inutile donc de s'en inquiéter : l'enfant se rattrapera au repas suivant ou au jour suivant. Mieux vaut respecter ces fluctuations et laisser manger l'enfant en fonction de sa faim. Lui seul connaît véritablement ses besoins et ses désirs.

■ Les **fantaisies** de son appétit peuvent amener votre enfant à vouloir commencer par le fromage et finir par les carottes râpées. Et alors ? Si vous n'en faites pas une histoire, tout rentrera vite dans l'ordre habituel.

■ A l'âge de votre enfant, **vous pouvez mettre de côté vos projets de menus idéaux** donnés en quatre repas équilibrés sur le plan diététique. Ce sera pour plus tard, si tout va bien.

Lui n'a aucune envie de tenir compte des protéines, des vitamines et des sels minéraux, pas plus que du temps que vous passez à mijoter son foie de veau à la crème de céleri. Il aime certains plats, certaines saveurs, et mangerait bien tous les jours les mêmes.

Si ce qu'il mange par vingt-quatre heures est suffisant, en quantité et en qualité (votre médecin pourra vous renseigner là-dessus) pour qu'il soit en bonne santé et ait une bonne croissance, alors laissez de côté vos menus élaborés et votre anxiété.

S'il aime les sardines à l'huile sur un toast beurré, inutile de vous battre pour lui faire manger sa ration de lieu au beurre noir. Et s'il ne mange bien que quand il picore dans les plats du menu familial, arrêtez de lui faire de la cuisine de bébé rien que pour lui.

■ Votre enfant traverse une **phase d'opposition et d'affirmation de soi** : il serait bien étonnant que les repas y échappent. Certains refus alimentaires de cet âge, qui ressemblent à un manque d'appétit, sont motivés par le désir de marquer son opposition. Sur ce plan-là, l'enfant le comprend vite, il est toujours gagnant. Aussi va-t-il prendre sa revanche contre tous les interdits et les obligations qui lui sont imposés par ailleurs.

Ne pas entrer dans ce jeu est la seule parade. « *Tu ne veux pas manger ? Ce n'est pas grave, tu mangeras mieux ce soir.* » Et on enlève l'assiette. Difficile ? Oui, bien sûr, car tellement éloigné de la pulsion maternelle profonde et instinctive qui veut que nourrir son enfant soit la tâche première et essentielle, celle qui traduit le mieux dans les faits l'amour et le souci que l'on a de celui que l'on aime...

S AVOIR LUI DIRE NON

POURQUOI ?

Dire non à ses enfants, c'est-à-dire pouvoir faire preuve de fermeté à leur égard, n'est pas une façon d'écraser leur personnalité ou d'en faire des enfants malheureux.

Discipline contient le mot disciple. Loin de l'autoritarisme aveugle, il s'agit **d'apprendre aux enfants à se maîtriser et à exercer un contrôle sur leur propre vie.** Ils ne pourront exercer pleinement leur liberté que s'ils sont responsables d'eux-mêmes, et c'est ce que la discipline doit leur enseigner. Nous vivons dans une société de loi où le *« tout, tout de suite, sinon je crie »* n'a aucune valeur.

L'enfant de cet âge, contrairement aux apparences, ne veut pas être celui qui décide : il s'en sait, au fond, incapable. Il veut juste **pouvoir s'opposer** et avoir son mot à dire dans ce que l'on décide pour lui.

Nous l'avons dit : pour se construire, pour se forger une personnalité, l'enfant a besoin de s'opposer. A quoi s'opposerait-il s'il n'y avait aucune règle à transgresser ? On ne peut être en désaccord avec « rien » : car alors, comment devenir soi-même ?

L'enfant se sait petit face à un monde grand dont il ignore le **mode d'emploi.** Qu'on le lui laisse déterminer seul est pour lui une source d'angoisse. Il sait que ses parents sont des « grands » : alors pourquoi le laissent-ils décider plutôt que de lui indiquer ce qu'il doit faire ? Et voilà l'enfant, perdu, qui pousse la provocation toujours plus loin en espérant qu'un jour on veuille bien l'arrêter.

C'est pourquoi la fermeté des parents et un système cohérent d'exigences concernant son comportement rassurent profondément l'enfant et l'aident à se construire une personnalité forte. Les parents sont affectueux, attentifs, mais ils ne laissent pas l'enfant sortir des limites définies.

L'enfant n'est pas écrasé : il est soutenu, réconforté, rassuré. Car *« si papa et maman sont plus forts que moi, c'est qu'ils sont plus forts que le monde entier et qu'ils peuvent me protéger. Ils savent clairement où ils vont : je peux donc les suivre. Allons découvrir le monde : il y a des garde-fous. »*

A l'inverse, l'enfant dont les parents ont du mal à exiger ou à se faire obéir est souvent anxieux. Si les *non* auxquels il s'oppose finissent toujours par céder, il aura bien du mal à faire face à des exigences scolaires ou autres : il découvrira dans la douleur et les conflits que la vie, elle, se moque de ses désirs.

COMMENT ?

Autant le *non* dit fermement rassure l'enfant, autant l'excès de non l'inhibe ou le rend agressif. Il ne s'agit nullement de dire non à tout et d'exiger de l'enfant une obéissance absolue et immédiate. Les *non* doivent, pour être acceptés, être peu nombreux et bien choisis.

Un bon *non* est un *non* raisonnable, cohérent, respectueux et adapté à l'âge de l'enfant. Il doit aussi lui **être expliqué**. Sinon, comment l'enfant s'y retrouverait-il ? Tantôt il prend la forme d'un interdit, tantôt d'une exigence, tantôt d'un : *« Maintenant, ça suffit ! »* qui met effectivement un terme à une situation qui a déjà trop duré. Car le *non* est aussi patient et compréhensif…

Tout cela paraît bien compliqué. Il n'en est rien. Nos enfants n'attendent pas de nous que nous soyons des parents parfaits. Mais il semble important d'exposer quel est le point de vue de l'enfant, à un âge où il ne peut l'exprimer lui-même. Il faut comprendre que, bien souvent, ses **besoins profonds** sont en contradiction avec ce qu'expriment ses désirs du moment.

Il dit : *« Je veux la voiture »*, mais il est satisfait si vous répondez : *« Je te comprends, elle est superbe. Est-ce qu'elle ne ressemble pas à la bleue dont le capot s'ouvre ? Elle a l'air de te plaire vraiment. Peut-être pourrais-tu attendre jusqu'à ton anniversaire ? »* Son désir a été entendu et reconnu comme valable, vous lui avez montré que vous l'aimiez en vous intéressant à lui. Il ne demande, au fond, rien de plus.

Bien des parents sont parfaitement d'accord avec moi sur le papier, mais… A ce mais, il y a principalement quatre raisons.

■ Les enfants ont un **charme fou**, ils sont désarmants. Comment se fâcher ? Comment être le méchant qui le fera pleurer, alors que son sourire est si beau ?

■ **Les parents ont souffert dans leur enfance** d'un système d'éducation trop autoritaire. Plutôt pécher par excès de laxisme que faire subir à son enfant ce dont on reste encore blessé aujourd'hui.

■ Les parents n'ont **pas assez de temps** pour expliquer, ou pour mettre en place des principes cohérents. Qui sait si ceux qui sont appliqués sur le lieu de garde sont les mêmes ? Le peu de temps qui reste à passer ensemble, ce n'est pas pour faire de l'autorité et se disputer, mais pour que tout le monde soit content.

■ Comment garder son calme après une journée de travail et une heure de transport, quand on se sent déjà **surmené et tendu** avant même d'avoir retrouvé son enfant ? On rêve d'une soirée tranquille, tendre, et le voilà qui refuse sa soupe, qui pleure pour un rien et qui achève de vous mettre les nerfs en vrille !

▶ Ces pièges par rapport aux bonnes résolutions ne sont pas les seuls que les parents, même les mieux intentionnés, peuvent rencontrer. Ce n'est pas grave s'ils restent bien convaincus, et finissent par transmettre, qu'un *non*, bien dit et bien accepté, ouvre la porte à **beaucoup de oui** tout à fait encourageants et épanouissants.

L E JEU DE « FAIRE-SEMBLANT »

Au cours de la première année de l'enfant, les objets semblent soumis à l'usage qu'on en fait. Puis, lorsque l'objet disparaît de la vue, il cesse d'exister.

Progressivement, un glissement se fait dans l'esprit de l'enfant : d'une part **l'objet est doué d'une existence propre** (on peut désormais jouer à cache-cache), d'autre part, il peut devenir ce qu'on décide qu'il sera. C'est ainsi qu'une casserole sera tour à tour tambour, chapeau ou contenant. Le **jeu symbolique** est né.

De ce jour, l'enfant devient le roi car, grâce à son imagination, il peut « faire semblant » autant qu'il le désire. D'un bâton il fait un fusil, d'un carton une cabane. Inutile de lui offrir certains jouets sophistiqués à usage unique et défini : il préfère celui, plus simple, avec lequel il peut jouer à l'infini.

Savoir faire semblant ouvre aussi la porte à tous les **comportements d'imitation** : on fait semblant de nourrir son ours, de disputer sa poupée, de conduire son camion, de parler avec un copain invisible, etc.

Cela peut étonner parfois les parents qui craignent que leur enfant ne fasse pas bien la part entre l'imaginaire et le réel. En fait, jouer à faire semblant témoigne d'un progrès très important pour l'enfant, pour trois raisons essentielles.

■ L'enfant, au lieu d'être limité par le rôle premier des objets, est capable de leur en attribuer un autre. Il peut prendre ses distances par rapport au concret et accéder, grâce au jeu, à l'ordre symbolique. Dès lors, il pourra donner libre cours à son **imagination**.

■ Il sait que les objets, donc les êtres humains également, ont une existence propre. Ils ne sont pas une extension de lui-même et continuent à exister hors de lui. Cette découverte lui ouvre la compréhension du monde en lui faisant perdre peu à peu la position narcissique qui était la sienne. Mais il se sent aussi beaucoup **plus petit** face au monde.

■ L'imitation va jouer un grand rôle dorénavant dans le psychisme de l'enfant. Il va pouvoir **reproduire**, avec ses poupées et peluches ou de façon totalement imaginaire, **les expériences passées**.

Les situations, agréables mais surtout désagréables, que l'enfant a vécues mais qu'il n'a pas totalement assimilées, vont être rejouées, autant de fois que nécessaire, jusqu'à ce qu'elles aient été véritablement apprivoisées. C'est ainsi que l'on entend l'enfant gronder son ours parce qu'il ne mange pas ou le contraindre à s'habiller sous peine d'une fessée.

L'enfant prend la place du parent, ce qui est une façon de reprendre à la fois le pouvoir et la maîtrise de la situation. Puis il rejoue l'événement, en le modifiant au besoin, jusqu'à ce qu'il en ait vraiment fait le tour.

Cette façon d'appréhender la réalité est très utile à l'enfant. A la fois, elle l'aide à se mettre à la place de l'autre, elle atténue la culpabilité et elle évacue les impressions désagréables.

L E SOMMEIL DE L'ENFANT

LA SIESTE

A cet âge, la plupart des enfants ne font plus de sieste le matin, ce qui est parfois dommage pour ceux que l'on réveille très tôt afin de les déposer à la crèche ou chez l'assistante maternelle.

Mais il reste la sieste de **l'après-midi** qui restera normalement indispensable pendant encore un bon moment : certains l'abandonnent dès deux ans, d'autres à cinq ans. Les enfants (comme les adultes) ressentent en tout début d'après-midi une chute dans leur niveau d'activité et un besoin physiologique de repos.

La durée de cette sieste **va s'allonger** au cours des mois qui viennent, sans qu'il soit possible pourtant d'en donner une durée « normale ». Cela dépend des besoins de l'enfant, mais également du temps de sommeil de nuit. L'essentiel est de ne pas réveiller l'enfant : il se réveillera de lui-même lorsqu'il aura assez dormi.

LE SOMMEIL DE NUIT

Il est tout aussi difficile de dire combien d'heures « doit » dormir un enfant. On ne peut fournir que des indications moyennes. Au cours de la deuxième année, les enfants dorment **environ douze à seize heures par jour** (quatorze en moyenne), **y compris le temps de sieste**.

Mais les écarts individuels sont importants. Certains petits dormeurs se contentent de nuits de dix heures et émergent à six heures du matin, pleins d'énergie. D'autres sont infernaux s'ils n'ont pas leurs treize heures de sommeil nocturne. Certains sont plutôt du soir et ne peuvent s'endormir avant vingt et une heures, d'autres du matin et exigent leur biberon dès l'aube.

A cela, vous ne pourrez rien, car il est totalement impossible d'obliger un enfant à dormir pendant une durée convenue. Tout au plus peut-on le mettre dans une situation de calme qui favorise la venue du sommeil. En effet, certains enfants s'énervent lorsqu'ils sont fatigués et ne paraissent jamais plus actifs qu'à ce moment-là.

▶ Mais alors comment savoir si votre enfant dort assez ? En l'observant au cours de la journée. La durée de sommeil qui lui convient est celle qui lui permet de n'être **pas fatigué** et de tenir au cours de la journée un bon niveau d'activité.

Un enfant qui **se réveille spontanément** est un enfant qui a assez dormi. Si vous devez le réveiller chaque matin, profitez d'un moment de vacances pour le laisser dormir à son rythme et autant qu'il le désire : vous verrez alors combien d'heures lui sont nécessaires.

Aucune règle ne fixe non plus strictement l'heure à laquelle un enfant doit se mettre au lit. Cela dépend beaucoup du **mode de vie** du reste de la famille. Il ne semble pas très raisonnable de vouloir mettre un enfant au lit sans qu'il ait eu le temps d'avoir de vrais contacts avec ses parents.

Une certaine **régularité** dans l'heure de la mise au lit donne de bons résultats, si elle est assortie d'une certaine **souplesse**. L'enfant a besoin de voir ses parents le soir, mais eux ont aussi besoin de se retrouver ensemble, sans leur enfant. Aussi faut-il trouver un compromis qui tienne compte des désirs de chacun.

R EPAS : QUOI DE NEUF ?

L'habileté de l'enfant augmente beaucoup ces temps-ci. Lorsqu'il approche de ses dix-huit mois, l'enfant sait généralement mieux se débrouiller avec sa cuiller et il est capable de porter, seul, la nourriture à sa bouche.

Cela se fait encore le plus souvent très salement et il n'est pas rare que l'enfant se fatigue et finisse par demander de l'aide. Il n'est pas question, bien sûr, de la lui refuser. On peut même lui proposer de l'aider pour terminer son repas.

En revanche, il serait dommage, à son âge, de continuer à tenir systématiquement la cuiller pour lui. Il est capable de commencer à bien se débrouiller : qu'il le fasse, systématiquement, au moins au début des repas, lorsqu'il a très faim. Continuer à le nourrir entièrement reviendrait à prolonger une habitude dont vous risqueriez d'avoir bien du mal à vous débarrasser.

Votre enfant est responsable de son corps : ce qui y entre, et, dans les mois qui viennent, ce qui en sortira. Vous ne devez pas, du jour où il est assez grand pour accomplir ces tâches, vous substituer à lui.

C'est également ces temps-ci que votre enfant peut **tenir seul sa timbale**, puis son verre, et boire, progressivement, sans renverser.

L'ENFANT

DE

18

A

20

MOIS

QUI EST L'ENFANT DE 18 A 20 MOIS ?

PERSONNALITÉ

Le tempérament de l'enfant d'un an et demi est caractérisé par deux points essentiels.

■ D'une part, le **désir de toucher à tout**, qui en fait un enfant traînant dans son sillage beaucoup de bruit et de désordre. Pas un tiroir n'échappe à sa curiosité, pas un bas d'armoire ou de placard, pas un sac à main ou un porte-documents, pas une corbeille.

C'est parfois difficile à supporter pour l'entourage, mais c'est le signe d'un développement sain et normal : c'est le silence et la sagesse d'un enfant de dix-huit mois qui doivent bien davantage inquiéter les parents.

■ D'autre part, les **nombreuses frustrations** consécutives au fait que l'enfant veut mais ne peut pas, voudrait faire seul mais s'en trouve incapable, et n'est, de toutes façons, pas encore capable de demander clairement ce qu'il souhaite.

C'est surtout cette lutte pour l'autonomie qui caractérise cette période de la vie de l'enfant. Même si elle dure des mois, ou des années, elle atteint là l'un de ses sommets.

D'une part, l'enfant n'est pas assez grand ou pas assez compétent pour faire ce qu'il souhaite. D'autre part, il veut faire seul et se fâche si l'adulte veut l'aider. Il en résulte des conflits intérieurs aigus que l'enfant ne peut le plus souvent résoudre que par la colère.

La violence de ses colères désarçonne souvent les parents : l'enfant jette ses jouets, hurle, se débat, donne des coups de pieds, parfois se cogne la tête par terre. Puis il se calme et oublie pourquoi il s'est mis dans un tel état. Il est encore incapable de contrôler la violence de ses pulsions et de ses émotions. Tout délai et tout refus lui sont très durs à supporter, alors il frappe ou mord.

Ce n'est que progressivement que le contrôle de soi pourra se développer, entraînant plus de manifestations d'affection.

▶ D'ici là, il convient de prendre son mal en patience. Face à une agression physique de l'enfant, le mieux est **d'arrêter fermement et calmement son geste** tout en lui expliquant avec des mots simples que de tels comportements sont totalement inadmissibles.

On peut aussi **dériver son geste** en une caresse, ou bien faire semblant de prendre cela comme un jeu et **jouer** alors *« à la bagarre pour rire »*, c'est-à-dire en contrôlant ses gestes pour ne pas faire mal.

▶ C'est le moment ou jamais, pour les parents, d'aller chercher au fond d'eux des **trésors de patience, de calme, de compréhension et d'humour**. Cette période va se révéler pour eux à la fois épuisante physiquement et éprouvante nerveusement.

Pourtant ce n'est que si ses parents contrôlent leur propre énervement, leur colère et leur violence que leur enfant apprendra à se contrôler à son tour. **Tâchons d'être des modèles** : il finira bien par nous ressembler.

Veillons aussi à être tolérants envers ses progrès (ou son absence apparente de progrès) et à ne pas le mettre en échec en attendant de lui plus qu'il ne peut donner. Face à un être qui construit sa personnalité et son identité, il est important d'œuvrer pour y intégrer la confiance en soi.

Le réprimander sans cesse ou le juger en le traitant de vilain, de méchant, n'aurait d'autre effet que d'abîmer gravement l'image qu'il se construit de lui-même. Même s'il est apparemment infernal, votre enfant n'a d'autre désir que de vous plaire et d'être aimé de vous.

▶ Il est déconseillé, enfin, et **inutile, de lui donner trop de choix à faire**, quelle chemise il préfère, s'il veut un yaourt ou de la compote, car cela ne fera que le perturber : il veut tout à la fois, bien sûr, et trouve toujours frustrant de devoir renoncer. Alors, pour quelque temps, mieux vaut décider pour lui. Il a par ailleurs assez d'occasions d'exprimer ses opinions et ses refus.

A part tout cela ? Un enfant charmant, amusant, et tout à fait passionnant à voir grandir... Lui aussi est assez perturbé et inquiet de sa propre intrépidité.

Aussi, pour se rassurer, met-il en place et s'attache-t-il fortement à des **rituels** variés qui rythment sa journée. Qu'ils concernent le déroulement du repas, du bain, ou de la mise au lit, ces rituels méritent l'attention et le respect des parents.

D'une part, ils **rassurent** l'enfant : malgré tout ce qui se déroule dans une journée, son petit monde reste le même, immuable et fidèle. Son agressivité n'a rien détruit, ses repères sont toujours là.

D'autre part, ils sont une bonne formation de **compromis** entre l'enfant et ses parents : le premier est actif, il veille à la bonne exécution du rituel et en contrôle rigoureusement le déroulement ; les seconds, grâce à ce moyen, mènent l'enfant où ils le souhaitent, à table, au bain ou dans son lit.

Le tempérament de l'enfant de dix-huit mois est **très déroutant**. Il peut s'accrocher obstinément à un désir ou à une idée et on a l'impression que rien ni personne ne le fera changer d'avis. A d'autres moments, il est inconstant, agité et ne tient pas en place. Il court comme un jeune chiot, comme pour épuiser un trop-plein d'énergie.

Parfois, il semble très sûr de lui et revendique son indépendance, mais peu de temps après il est pris de frayeurs : il a peur du noir, des insectes, de tomber, et les parents ont fort à faire pour le rassurer et lui permettre de se sentir à nouveau en sécurité.

Cela ne signifie pas qu'il faille protéger l'enfant de toutes les expériences un peu risquées, ni surtout le surprotéger. Passer son temps à le poursuivre en lui annonçant, tel le mauvais augure : *« Attention, tu vas tomber, tu vas te faire mal, tu vas te salir »*, etc. non seulement ne l'aide pas à se fabriquer un vrai sens du danger, mais contribue à lui fabriquer l'image d'un monde dangereux où il ne saura jamais faire son chemin ni ses preuves.

DÉVELOPPEMENT PHYSIQUE

L'enfant continue à explorer et à entraîner toutes les possibilités que lui offrent l'équilibre global de son corps. Il **marche à reculons**, il **s'assied seul sur une chaise**, il **s'accroupit** puis se relève, il **escalade** de plus belle.

Tout cela le conduit à prendre des risques et parfois à surévaluer ses compétences. Comme sa coordination motrice et son sens de l'équilibre ne sont pas encore parfaits, il tombe beaucoup. D'où l'importance de **rendre l'environnement de l'enfant assez sûr** pour ne pas avoir à trembler pour lui et à ne pas le freiner dans ses élans.

Avec ses mains, l'enfant sait désormais faire *au revoir, bravo* et construire une tour de trois cubes. Certains enfants ont déjà une main de prédilection, alors que la plupart sont encore ambidextres et se servent alternativement de la main droite et de la main gauche.

LANGAGE

Le langage de l'enfant d'un an et demi est fait d'un mélange d'attitudes, d'intonations, de gestes, et de mots uniques à sens multiples. Il s'en sert surtout pour communiquer, demander, refuser. D'ailleurs, le mot qu'il prononce le plus souvent est *« Non »*. Ce non ne témoigne pas toujours d'un refus réel, mais a le sens de *« Je suis d'accord avec toi mais à condition que je le choisisse moi-même. »* Dire non consiste avant tout à affirmer son existence.

Les différences de langage d'un enfant à l'autre sont grandes. Certains ne parlent presque pas, d'autres ont une douzaine de mots à leur disposition, d'autres enfin construisent déjà des phrases de deux mots (*« Papa parti »*, *« Veux gâteau »*, *« Pas dodo »*,...). Ces différences sont de peu d'importance pour l'avenir.

Mais presque tous les enfants **savent reconnaître et pointer beaucoup de dessins** que l'on nomme lorsqu'ils feuillettent un imagier. Presque tous également **aiment répéter** longuement des mots ou des phrases qu'ils ont entendues, comme en écho.

Cela a pour eux une valeur d'entraînement à la prononciation. Car celle-ci, si elle n'est bien sûr pas parfaite, est au mieux de ce que l'enfant peut faire pour l'instant. Inutile donc de le reprendre, il suffit de lui renvoyer la forme correcte dans la réponse afin qu'il s'en imprègne progressivement.

D'autre part, si l'enfant se sert de mots d'enfant plutôt que des vrais mots pour désigner des objets et des actions, c'est de son âge. Ce n'est pas de celui des adultes qui l'entourent de les reprendre et de les intégrer à leur vocabulaire. Un enfant qui n'entendrait parler qu'ainsi : *« Bébé s'est fait bobo à la mimine »* n'apprendrait jamais à parler correctement.

▶ Parler à son enfant **normalement et simplement** est

encore ce qu'il y a de mieux. Les parents qui accompagnent toutes les expériences nouvelles de leur enfant avec des mots nouveaux et appropriés mettent à sa disposition un vocabulaire riche dont il fera usage dans quelques mois.

SOCIABILITÉ

Les rapports de l'enfant avec ses pairs ne sont pas de tout repos. S'il est bon, dans le cas où ce n'est pas encore fait, de l'intégrer à un groupe d'enfants de son âge, il ne faut pas s'attendre à ce qu'il ait pour eux respect et attention. D'une manière générale, il ne joue pas encore avec un autre enfant, sauf s'il en a besoin, pour faire de la balançoire à bascule par exemple.

De comportement égoïste, il préfère recevoir ou prendre plutôt que de donner. Il trouverait normal d'avoir tout pour lui et ne tient aucun compte des désirs des autres. Tantôt il recherche les copains, tantôt il les bouscule, les ignore ou les agresse.

Il préfère la présence des adultes et aime tout particulièrement imiter leurs comportements dans ses jeux. Mais c'est surtout **le père** qui, à cette époque, prend une place de plus en plus importante. L'enfant recherche sa compagnie et refuse souvent de s'endormir sans l'avoir vu un moment le soir. Les garçons comme les filles aiment chahuter avec leur père et apprécient sa force et sa brusquerie.

En revanche, ils se sauvent généralement si on les prend dans les bras ou qu'on les embrasse sans qu'ils soient volontaires. Les câlins durent peu quand on est aussi actif !

JEUX ET JOUETS

Les jouets favoris à cet âge sont les gros puzzles très simples, les grosses perles colorées en bois que l'enfant commence à savoir enfiler et les jeux d'emboîtement et d'encastrement. Mais la palme, pour plusieurs mois, revient au **téléphone en plastique** que l'enfant peut soit tirer sur le sol, soit utiliser pour s'entraîner au langage et à la conversation.

L'enfant d'un an et demi aime se servir d'outils semblables à ceux des adultes et se livrer à des **jeux d'imitation** : il cloue, il balaie, etc. Il commence à être capable de souffler et d'aspirer et s'y adonne avec plaisir dans une paille, un ballon ou un sifflet. Les tours qu'il construit avec ses cubes sont de plus en plus hautes et sa joie est autant de les construire que de les faire s'effondrer.

Enfin, il tire beaucoup de plaisir à **gribouiller** avec ses feutres ou ses crayons. Maintenant qu'il a compris le lien entre le geste et l'effet, il dessinerait bien partout : sur les murs, sur la table, etc.

Cela demande une certaine surveillance, mais on peut également mettre à la disposition de l'enfant un grand pan de mur, par exemple dans sa chambre ou dans la cuisine, qu'on aura spécialement recouvert d'une grande feuille (genre nappe en papier) à remplacer régulièrement.

D'une manière générale, il est toujours plus facile de faire respecter une interdiction lorsqu'on offre une alternative intéressante.

L A PROPRETÉ : LE BON MOMENT ?

Est-ce la bonne période pour enlever les couches de votre enfant et lui demander, à la place, de faire dans le pot lorsqu'il en a aura envie ? A vous de juger.

La bonne période, c'est lorsque l'enfant a atteint un niveau de maturité neuro-musculaire, intellectuel et affectif suffisant. Pour savoir si c'est le cas de votre enfant, voici quelques éléments qui peuvent vous aider. Votre enfant est prêt si :

■ Il est conscient de ce qui se passe dans son corps, **au moment même** et pas seulement après coup.

■ Il manifeste son **envie d'enlever ses couches** et d'aller sur le pot (ou sur les toilettes).

■ Il **court aisément**, monte après une échelle, monte les escaliers debout.

■ Il se livre fréquemment à des **jeux d'imitation** et aime faire en tout « comme les grands ».

■ Il comprend ce qu'on lui demande et y accède plutôt volontiers (il est **sorti de sa phase d'opposition** systématique).

■ Il a intériorisé les notions d'**ordre** et de désordre, il aime faire des petits **cadeaux** et il est dans une période affective **stable**.

■ Il va sur ses **deux ans**.

■ Il connaît **les mots (pipi, pot, etc.)** et sait bien à quoi sert le pot. On a déjà préparé cet apprentissage en lui en parlant et en lui expliquant ce qu'on attendrait de lui bientôt.

Ces indices sont autant de signes permettant de présager que la technique de la propreté sera vite et bien acquise. Mais la bonne période, c'est aussi :

▪ Celle **où l'apprentissage durera le moins longtemps possible**. L'enfant a beaucoup de choses à apprendre ces mois-ci, qui sont aussi importantes voire plus, que la propreté. Les problèmes de « pipi-caca » ne doivent donc pas empiéter trop ni trop longtemps sur son temps.

A titre d'exemple, jamais une « séance de pot » ne doit durer plus de cinq minutes et l'enfant doit toujours être libre de se relever quand bon lui semble. Rappelez-vous qu'il est seul maître de son corps et de ses envies.

▪ Celle **où l'enfant peut répondre assez facilement à l'attente** de l'adulte. S'il y a trop « d'accidents » ou pendant trop longtemps, l'enfant est mis en situation d'échec. Ces échecs répétitifs, son incapacité à répondre à ce qu'on lui demande, sont pour lui désespérants et néfastes sur le plan psychologique.

D'une manière générale, on ne peut exiger d'un enfant que ce qu'il est en mesure de fournir, afin de l'intégrer dans un processus de réussite et de lui donner confiance en lui. Alors, surtout, si vous avez essayé de rendre votre enfant propre et que « ça ne marche pas », remettez les couches sans en faire une histoire et réessayez dans deux ou trois mois.

L A PROPRETÉ : COMMENT FAIRE ?

LA TECHNIQUE

Vous avez déjà préparé votre enfant : il connaît les mots dont vous allez avoir besoin, il est conscient des sensations de son corps, il a déjà joué avec le pot et sait bien à quoi il sert, il a remarqué comment faisaient «les grands» qui n'avaient pas de couches. Vous savez, à divers indices, qu'il est prêt. Le reste est tout simple.

▶ Vous devez **expliquer** calmement à votre enfant qu'il est assez grand maintenant pour ne plus faire dans ses couches mais dans le pot. Cela serait très pratique pour vous et vous seriez très fier de lui. Lorsqu'il y parviendra, ne ménagez pas vos compliments. Ignorez ses échecs.

Le contrôle du rectum est le plus facile à obtenir. L'envie d'aller à selle est un mécanisme simple : il s'agit de la pression du contenu du côlon. L'enfant est **vite conscient** de cette envie.

Aussi est-il inutile de lui imposer votre horaire : le moment de la défécation est celui de son horloge interne et non celui qui vous convient. Il apprendra vite à demander. Sinon, dites-lui simplement : *« Ce n'est pas grave, tu ne t'es pas rendu compte à temps que tu avais envie de faire caca. La prochaine fois, tu iras sur le pot. »*

Le contrôle de la vessie nécessite que l'on incite l'enfant à aller sur le pot assez régulièrement, surtout dans un premier temps. Lui **demander s'il a envie** paraît le plus souvent suffisant. Il n'y a guère qu'avant le coucher qu'une mise au pot systématique peut être faite.

On enlève les couches, on achète des jolies petites culottes à fleurs ou des slips de garçon, **on habille l'enfant de manière à ce qu'il puisse se déshabiller rapidement** et simplement. C'est tout.

Ensuite, on laisse un peu de temps à l'enfant pour que l'apprentissage s'installe et on essaie de ne pas trop s'angoisser pour sa moquette. Quand il y a un pipi par terre, on emmène vite l'enfant sur le pot et on lui explique que cela arrive, que ce n'est pas grave, que la prochaine fois il fera dans le pot.

L'apprentissage doit se faire **en quelques jours**. Si les «oublis» restent fréquents au-delà (plusieurs fois par jour), il faut se demander si l'enfant était vraiment prêt et s'il ne serait pas judicieux de lui proposer de remettre des couches pendant quelque temps. Dans ce cas, dites-lui bien qu'il ne s'agit pas d'un échec de sa part mais d'une erreur de la vôtre.

LES COMPORTEMENTS A ÉVITER

□ L'apprentissage de la propreté et ses accidents **ne doit donner lieu ni à des cris ni à des fessées**. Si vous avez l'impression que votre enfant «fait exprès» de faire par terre à peine relevé du pot, refusez d'entrer dans ce genre de conflits.

S'il sent que vous êtes trop impatient et que la propreté est pour vous une étape importante, il risque de vous refuser ce plaisir et de se retenir. Enlevez de la pression, remettez les couches et feignez l'indifférence : les choses se remettront en ordre. Dites-vous bien que vous n'aurez pas le dernier mot dans ce domaine.

☐ Inutile, de manière parallèle, de valoriser sa production comme s'il vous offrait le Saint-Graal, ou de lui promettre des cadeaux en échange. Montrer son plaisir me paraît suffisant. **Ni menaces ni promesses** non plus : ces fonctions sont naturelles et c'est ainsi qu'elles doivent être considérées.

Donc pas de dégoût affiché : si c'est ce que vous ressentez, tâchez de ne pas trop le laisser paraître. Devenir propre signifie simplement que l'on grandit, rien de plus, rien de moins.

☐ **Pas de séances de pot interminables à heures fixes.** Je l'ai déjà dit, mais il faut le redire : être propre, c'est faire quand on en a besoin et non quand l'adulte en a envie. On va dans le lieu «prévu pour» parce que c'est plus agréable et que c'est ainsi que font les humains dans notre société.

Procéder autrement reviendrait à détruire la confiance de l'enfant dans son propre corps et ouvrirait la porte à des conflits et des rivalités qui n'ont pas lieu d'être.

☐ **Le pot n'a pas à trôner au milieu du salon.** Que, dans la brève période qui suit le jour où vous enlevez les couches, vous vous arrangiez pour que votre enfant ait toujours un pot à portée de main et les fesses presque à l'air, oui. Mais très vite, le pot doit réintégrer les toilettes qui sont le lieu prévu à cet usage.

☐ **Si votre fils veut faire pipi debout, comme son papa, pourquoi pas ?** Mais, de grâce, ne lui tenez pas le pénis comme s'il risquait de tomber. Que son père lui montre, puis qu'il se débrouille seul.

Si vous installez vos enfants sur le rebord des toilettes, veillez à mettre un marchepied et un réducteur de diamètre : ils se sentiront plus en confiance et seront autonomes. Mais ne les forcez pas : le passage du pot aux toilettes se fera tout seul quand l'enfant aura compris et admis que c'est là que vous finissez par en vider le contenu.

☐ **Ne videz pas le pot immédiatement** dans les toilettes en tirant la chasse juste derrière. Votre enfant ne comprendrait plus. Vous lui demandez l'offrande de ce qu'il considère comme une partie de son corps, vous le félicitez chaleureusement, et vous vous empressez d'aller vous débarrasser de son cadeau ! Il y a de quoi être perdu.

☐ **Apprenez-lui à s'essuyer** les fesses et ne vous en occupez plus.

☐ J'ai expliqué longuement pourquoi il ne fallait en aucun cas forcer l'enfant. Il faut néanmoins, autour de deux ans, lui **expliquer** ce que l'on attend de lui et lui **demander** d'être propre. Puis enlever les couches, avec son accord.

Cela semble évident, mais j'ai plusieurs fois vu des enfants de trois ou quatre ans prétendument *pas propres*, alors qu'on ne leur avait simplement rien demandé. On avait laissé faire la nature, sans humaniser le comportement de l'enfant.

☐ Une fois qu'il est propre, ne le harcelez pas toute la journée en lui demandant s'il n'aurait pas envie de faire pipi. Passez à autre chose.

EN CONCLUSION

Une fois que la propreté est bien en route, avec l'accord de l'enfant, elle va s'installer en quelques jours.

Bien sûr, il va y avoir des « accidents » de temps en temps. Inutile d'en faire une histoire. Un apprentissage comme celui-ci est fragile et sensible, pendant quelque temps, aux modifications affectives.

Tout se remettra en place tout seul, avec la confiance des parents. L'essentiel est qu'ils aient bien compris et admis que le corps de leur enfant est sa propriété et non la leur. Ce n'est pas si facile car, lorsque son enfant devient propre, on perd la relation corporelle si douce que l'on avait avec lui lorsqu'on le changeait quatre ou cinq fois par jour.

Il serait tentant de remplacer ce tendre corps-à-corps par un contrôle corporel à un autre niveau. C'est le contraire qui doit se produire : pour se nourrir, pour se laver, **pour tout ce qui touche à son corps, l'enfant va bientôt être autonome** et c'est bien ainsi.

LES RITES DU COUCHER

Pour tous les enfants, l'heure d'aller se coucher est une heure difficile. Elle met fin aux activités et aux jeux partagés. Elle signifie le plus souvent solitude et séparation d'avec ceux que l'on aime. L'enfant se retrouve dans sa chambre, en proie à l'obscurité, au silence et à l'anxiété qu'ils engendrent.

C'est la mise en place des rites du coucher qui va lui permettre de se rassurer. Le rituel suivi de façon scrupuleuse va amorcer **une transition** et amener progressivement l'enfant à passer de la veille au sommeil.

Il faut le temps du câlin, de l'histoire, de la petite chanson, du coucher des peluches, de la veilleuse, des paroles conjuratrices, de toutes ces petites habitudes qui permettent de ramener le calme. Elles préparent doucement à dormir, car le sommeil en est l'aboutissement.

Il est tout à fait normal de consacrer **entre quinze et trente minutes** au coucher de son enfant. Ainsi, il n'aura pas l'impression que vous voulez vous débarrasser de lui en vitesse avant le début du film à la télévision et risquera moins de se relever.

Tenter de faire durer le plaisir, se relever ou appeler une ou deux fois, cela fait partie du jeu et ne prête pas à conséquence si les parents savent se montrer fermes et signifier clairement quand cela doit s'arrêter.

F AIRE FACE
A LA COLÈRE

Les colères de l'enfant de cet âge sont fréquentes et impressionnantes. Certains enfants peuvent crier pendant des heures. D'autres se frappent la tête contre le sol ou les murs. Tous semblent en proie à une grande souffrance. Difficile, pour les parents, de rester serein !

POURQUOI TANT DE COLÈRES ?

Votre enfant veut s'affirmer. Il revendique d'être un grand et ne comprend pas qu'il ne puisse être traité comme tel.

La patience n'est pas son fort : il veut tout et tout de suite. « Demain », « Plus tard », cela n'a pas de sens encore.

Toute **frustration** est très **mal vécue** par l'enfant, car il voudrait que ses désirs soient des ordres : le beau camion rouge de la vitrine, ou le ballon que le copain a dans les mains, il le lui faut tout de suite. S'il est plongé dans une activité, il ne supporte pas qu'on l'interrompe pour des choses aussi triviales que manger ou se coucher.

Ajoutez à cela un **contrôle de soi** encore **très immature**, et vous comprendrez pourquoi l'enfant de cet âge se laisse si fréquemment submerger par des émotions destructrices et violentes.

Enfin, les colères sont nombreuses et ont tendance à se reproduire si elles « marchent », c'est-à-dire si l'enfant en tire un **bénéfice**, quel qu'il soit.

COMMENT RÉAGIR ?

▓ **Éviter de se mettre en colère en retour** et de crier encore plus fort.

▓ **Inutile d'essayer de communiquer.** L'enfant, submergé par l'émotion, en est provisoirement incapable. Il sera temps de s'expliquer une fois la crise passée.

▓ **Attendez calmement** et l'air indifférent que cela passe. Si vous êtes chez vous, sortez de la pièce, ou au contraire emmenez l'enfant dans sa chambre : *« Tu reviendras quand tu auras fini. »*

▓ **Ne récompensez pas les colères,** si vous ne voulez pas qu'elles se reproduisent. Le plus efficace, pour faire disparaître un comportement indésirable comme celui-ci, est de feindre de ne pas le voir. Car discuter, raisonner, essayer de calmer, se fâcher, c'est encore donner de l'attention et c'est encore une façon de récompenser.

Mais la pire attitude consiste à céder, c'est-à-dire à donner raison à l'enfant de s'être mis en colère. *« Bon, ne pleure pas comme cela, je te le donne ton gâteau »*, ou *« Calme-toi, tu peux rester dans notre lit, mais pour cette nuit seulement. »*

▓ **Si la colère est publique**, il est plus difficile de réagir en attendant calmement. Si possible, ne vous laissez pas atteindre par les remarques des passants.

Si vous êtes obligé de céder, par exemple d'acheter les bonbons parce que c'est le seul moyen de finir les courses au supermarché, **expliquez-vous ensuite** avec l'enfant :

« Tout à l'heure, au magasin, tu m'as obligée à t'acheter des bonbons, alors que je n'étais pas d'accord, parce que tu faisais une grosse colère et que je n'avais pas les moyens de t'enfermer dans ta chambre. Je suis fâchée. Aussi vas-tu maintenant rester dans ta chambre pendant

un moment : tu as été très désagréable et je n'ai pas envie de t'avoir près de moi. Et la prochaine fois que j'irai faire les courses, tu ne viendras pas. »

Mais le mieux est encore d'éviter pendant quelques mois les situations où l'on sait que l'on prend le risque d'une colère et que l'on serait incapable de réagir correctement.

Si l'on se place du point de vue de l'enfant, **la colère est légitime**. Il a toujours une raison de se fâcher ainsi. Comme toutes les autres émotions, elle a le droit de s'exprimer, même si cela ne convient pas aux adultes. Mais elle peut tout aussi bien s'exprimer dans la solitude :

« Je comprends que tu sois en colère. A ton âge et à ta place, je le serais sûrement aussi. Mais je suis ton père et je n'ai pas l'intention de changer d'avis. Alors comme tes cris me gênent, je préfère que tu ailles pleurer dans ta chambre. Tu reviendras ensuite. »

Q UAND FAIRE LE PROCHAIN ?

Contrairement à ce que soutiennent certains, je suis convaincue qu'il n'existe pas d'écart idéal entre deux enfants. Ou plutôt, **l'écart idéal est celui qui existera entre vos enfants**, que vous l'ayez choisi, ce qui dans le monde d'aujourd'hui est devenu plus facile, ou que vous l'ayez simplement accepté parce que les aléas de la vie en ont décidé ainsi.

Les choses se déroulent généralement de la façon suivante. Après un premier bébé, le jeune couple éprouve le besoin de prendre un peu de temps pour s'adapter à cette nouvelle constellation familiale. On a coutume de dire que le premier bébé est le plus difficile, et c'est vrai ! Et puis, progressivement, après six mois… ou après six ans, le désir d'un autre enfant se manifeste.

Les parents se demandent alors si l'écart entre leurs enfants sera le bon. En fait, c'est celui-là le bon moment : **lorsque les deux parents se sentent à nouveau désireux, disponibles, accueillants**. Ou bien lorsqu'un bébé s'annonce sans que la décision ait vraiment été prise et que les parents l'acceptent avec bonheur. Ou encore lorsque la famille s'est « recomposée » entretemps et qu'il est question de faire un demi-frère ou une demi-sœur à l'aîné.

L'écart d'âge favorable entre les enfants est variable et dépend de chaque famille. Certains parents préfèrent espacer les naissances afin de pouvoir se consacrer plus totalement à chacun de leurs enfants : ils attendront alors que l'aîné soit *tiré d'affaire*, c'est-à-dire, généralement, qu'il soit scolarisé et déjà autonome. D'autres parents, à l'inverse, ressentent très vite le désir d'un autre enfant, par exemple pour éviter *le syndrome de l'enfant unique* ou parce qu'ils préfèrent les voir grandir ensemble, ou encore parce qu'ils ont déjà atteint un certain âge.

Si on se place du point de vue des enfants, ils préfèrent souvent un frère ou une sœur d'âge proche. Ce choix est lourd à assumer au début pour les parents, mais il se révèle satisfaisant à terme : les enfants peuvent très tôt jouer ensemble, partager les mêmes activités et devenir plus rapidement autonomes. Ils sont vite complices, et l'apprentissage des lois de la vie en société se fait naturellement.

▶ Mais, encore une fois, il n'y a pas de règle et **le bon écart est celui qui vous convient**, en fonction de l'idée que vous vous faites de votre famille. Si vous êtes prêts tous les deux, allez-y !

LA PEUR DE L'EAU

Une peur de l'eau très fréquente est celle de l'enfant que l'on emmène au bord de la mer et qui crie de peur dès qu'il s'approche des vagues. Vous rêviez peut-être d'un enfant qui n'aurait peur de rien, qui sauterait dans les vagues de l'océan et vous éclabousserait en riant. Mais le vôtre reste craintivement assis sur la plage, refuse de se mouiller plus haut que les genoux, recule si une vague approche et hurle de terreur si vous prétendez le jeter à l'eau. Que faire ?

▶ Rien. C'est-à-dire ne **surtout pas le forcer**. Toute forme de contrainte ne pourrait que renforcer ses peurs, en y ajoutant une rancune tenace contre vous. Votre marge de manœuvre est donc très limitée. Voici quelques pistes.

■ Si votre enfant craint essentiellement le froid de l'eau et le mouvement de vagues, emmenez-le plutôt dans une **petite piscine**. Une eau chaude et stable, avec très peu de fond, pourra le rassurer et le réconcilier peu à peu avec la mer.

■ Recherchez s'il a vécu une expérience traumatisante dans l'eau qui lui a laissé une frayeur contrôlable. Peut-être a-t-il en tête des récits inquiétants ? **Parlez-en ensemble**, et rassurez-le sans se moquer de ses peurs.

■ Laissez votre enfant jouer tranquille, à des jeux de sable et d'eau. Si vous lui donnez **confiance en lui** dans d'autres domaines, il apprivoisera la mer, seul, à son rythme.

Chez d'autres enfants, la peur de l'eau est plus générale et ils en viennent même à redouter l'heure du bain, qui se transforme en une véritable épreuve pour tout le monde. Que ce soit un simple malaise ou qu'il y entre un élément de provocation, le mieux là encore est de ne pas forcer.

La cause de cette peur est le plus souvent à rechercher du côté d'**une mauvaise expérience** : shampooing ou savon dans les yeux, chute, eau trop chaude ou trop froide, etc. L'enfant se réhabituera progressivement au bain s'il l'on s'y prend progressivement et avec beaucoup de douceur, en mettant tout d'abord très peu d'eau dans le fond de la baignoire.

Mais **il ne faut pas confondre le refus avec la peur** : il peut s'agir uniquement du premier si, par exemple, vous avez coutume d'interrompre votre enfant dans ses jeux pour lui donner un bain, ou si le « bain-devoir » ne laisse jamais place au « bain-plaisir ».

▶ Les **jeux d'eau** sont aussi une très bonne thérapie. L'enfant est d'abord installé au-dessus du lavabo ou d'une bassine remplis partiellement et il joue dans l'eau avec de multiples objets détournés à cet effet.

Dans un second temps, l'enfant est lui-même installé au milieu de ses jouets, dans un grand baquet dehors, si la saison le permet, ou au fond de la baignoire.

▶ **Attention !**

— **Ne lui prêtez aucun contenant en verre : s'il se cassait, il deviendrait très dangereux.**

— **Garnissez toujours le fond de la baignoire d'un tapis antidérapant et ne laissez jamais un jeune enfant dans l'eau, quelle que soit sa profondeur, sans surveillance.**

Les accidents par noyade, dans la salle de bain, à la piscine ou à la mer, sont encore trop nombreux.

L'ENFANT
QUI NE MANGE RIEN

L'enfant qui ne mange rien appartient à une catégorie d'enfants bien connue des médecins, des pédiatres et, en dernier ressort, des psychologues. Il se présente en général sous l'aspect d'un enfant gai, bien vivant, actif, normalement grand, sans trace de maigreur apparente, liant contact facilement. L'examen médical ne révèle, dans 95 % des cas, aucune anomalie, aucune carence.

Mais « *l'enfant qui ne mange rien* » cache son jeu : il est certainement malade, ou il va tomber d'inanition, ou cesser de grandir, puisqu'enfin, sa mère l'affirme : il ne mange rien !

Renseignement pris, l'enfant en question aurait tendance à manger tout à fait normalement pour lui (le « normal », en ce domaine, est très élastique). Ce qu'il avale lui profite et suffit à ses besoins. Mais ses parents, et en particulier sa mère qui est en première ligne dans ces conflits particuliers, estiment que l'enfant se nourrit mal : il devrait manger plus, autrement, plus régulièrement, des choses meilleures pour lui, etc.

A la suite d'une baisse d'appétit normale, l'enfant a moins mangé. Sa mère s'est énervée. L'enfant, très fin quand il s'agit de savoir où il peut imposer sa force, refuse absolument de se prêter à ces règles théoriques d'alimentation et rejoue le même scénario au repas suivant. Les tensions s'installent, les conflits se répètent, identiques, repas après repas.

L'enfant tourne la tête quand s'approche la cuiller. La mère insiste, le père se fâche. On essaie de faire le clown, de raconter des histoires, on installe l'enfant devant la télévision, et, dès qu'il bée de surprise, on engouffre une cuiller de soupe. On se livre à du chan-tage : une cuiller pour maman, une pour tante Ursule, une pour me faire plaisir.

Chaque protagoniste accumule la rancune et l'inquié-tude. Les repas prennent une heure, pour faire avaler quelques bouchées qui ne satisferont personne. L'enfant perd de vue son corps, ses besoins, ses goûts. Il répond ou s'oppose au désir de sa mère.

Dans les cas graves, le rapport de forces est tel que l'enfant finit par ne plus rien manger avec sa mère et vomir si on le force. Il développe à la fois un dégoût de la nourriture et la certitude d'être le plus fort. Car enfin, soyez-en persuadé d'emblée, **on ne force pas un enfant à manger**.

Dans ces conflits autour de l'alimentation, les parents sont forcément perdants. A court terme, parce que l'enfant s'enlise dans ses refus ; mais aussi à long terme car l'enfant qui prend **l'habitude des conflits** risque de les déplacer sur d'autres terrains : celui du sommeil ou des caprices en tout genre. Tout cela n'en vaut pas la peine.

▶ Vous pensez que votre enfant ne mange rien, en tout cas pas assez ? Voici quelques informations et conseils de bon sens qui permettront aux repas de rester (ou de redevenir) un plaisir partagé et à votre enfant, respon-sable de ses besoins, de grandir en bonne santé.

■ Dans nos sociétés d'abondance, les adultes ont pris l'habitude de trop manger par rapport à leurs besoins et à leur santé. Nous l'avons oublié. Les enfants, eux, le savent. Les quatre repas réguliers et équilibrés sont une habitude sociale et non un besoin physiologique. Les besoins de chacun sont différents. Sauter un repas de temps en temps n'a strictement aucune importance.

■ Ce n'est pas parce que l'on mange peu que la croissance est ralentie.

■ Venir à table partager le repas ne doit être **ni une cause d'angoisse ni une source de contrainte.**

■ Manger quand on a faim ne mérite aucune louange. S'abstenir lorsque l'on n'a pas faim ne mérite aucun reproche. Au contraire, cela prouve que l'on est en contact avec ses **besoins propres.** On mange pour satisfaire ce besoin, non pour faire plaisir à sa mère.

■ Quand un enfant a un petit appétit, il faut lui servir **des petites (voire toutes petites) quantités.** Dans le cas contraire, vous le découragez de même commencer. Proposez ensuite de le servir à nouveau. S'il a encore faim, il acceptera.

■ **Ne vous préoccupez pas du contenu de l'assiette** de votre enfant ni de ce qu'il y laisse. Enlevez son assiette en même temps que les autres, s'il mange en famille, après un délai raisonnable s'il mange seul, et passez au plat suivant, sans commentaires.

■ Même si vous pensez que votre enfant a peu mangé lors d'un repas, ne lui cuisinez pas un plat supplémentaire spécialement pour lui.

Ne compensez pas non plus entre les repas en lui offrant des gâteaux secs *(« C'est au moins ça qu'il aura dans le ventre ! »)*.

Le dessert n'est pas une récompense : ne l'en privez pas parce qu'il n'a pas fini son poisson.

■ **Ne forcez jamais votre enfant à manger,** même de façon détournée, en faisant le clown pour détourner son attention ou en lui racontant des histoires de petites voitures qui rentrent au garage.

Au besoin, **servez-le et sortez de la pièce.** Faites comme si la question de son alimentation ne vous intéressait plus.

■ Si c'est trop dur pour la mère de procéder ainsi, peut-être le père (la cousine ou la grand-mère...) peut-il s'occuper des repas. Quelqu'un de moins anxieux est souvent plus à même de dénouer le conflit, une fois installé.

En un mot, pour conclure : quand vous avez la certitude que votre enfant est en bonne santé et «pousse» normalement, cessez de vous obséder sur la quantité de nourriture qu'il ingère et souciez-vous plutôt de son plaisir à manger. Vous verrez que vos problèmes, si vous en avez, se régleront rapidement.

L'AGRESSIVITÉ
ET LES MORSURES

L'agressivité est un comportement universel de l'enfant entre un et trois ans. C'est plutôt son absence totale, celle qui ferait de l'enfant une victime de ses camarades, ou bien un enfant qui n'exprimerait rien de ce qu'il ressent, qui serait inquiétante.

A l'inverse, les effets conjugués de l'éducation et de la socialisation visent au **contrôle par l'enfant de ses actes** et à la **dérivation de la pulsion agressive** sur d'autres objets (on peut être violent en frappant dans un ballon de foot mais pas dans les jambes des petites filles).

L'agressivité de l'enfant de cet âge peut être directe : il tire la queue du chat, griffe, bouscule ou mord les copains, jette des cubes en bois dans le berceau du petit frère, casse ses jouets, tire les cheveux et lève la main sur sa mère. Elle peut aussi prendre la forme d'exigences permanentes qui finissent par étouffer l'adulte, comme la souris blanche est étouffée par les petites mains qui la caressent.

Ces deux formes sont normales. On ne s'inquiète que si l'enfant exerce une réelle cruauté ou brutalité envers autrui, enfant moins costaud ou petit animal, et cela sans trace de pitié ou de culpabilité.

▶ L'attitude éducative efficace consiste à ne pas s'en prendre directement à la pulsion agressive, car cela est sans effet. Il s'agit, d'une part, d'**interdire strictement le « passage à l'acte »** en faisant respecter la loi morale : *« Je ne te demande pas de l'aimer ou de jouer avec lui, mais je t'interdis de lui faire mal »*, ou *« Si tu est fâché avec moi, tu peux aller un moment seul dans ta chambre,*

mais je ne tolère pas que tu lèves la main sur moi.»
L'enfant à qui l'on parle ainsi sent bien que ses sentiments (colère, haine,…) sont respectés et qu'ils ne font
pas peur. Être entendu et compris désamorce déjà le processus agressif.

Parallèlement, il faut **offrir à l'enfant des occasions
d'exprimer ses pulsions agressives** d'une façon que la
morale approuve, sans danger pour autrui. S'en prendre à
ses peluches, jouer avec l'eau et l'argile, taper avec un
marteau ou dans un ballon, courir, sauter, sont des activités qui aident à faire face aux impulsions violentes. On
peut inventer ainsi des «jeux agressifs» où l'agressivité
peut être libérée sans être destructive pour soi ou pour
l'autre.

En grandissant, si les parents encouragent leur enfant à
se contrôler et ne considèrent pas que *« la vie est un vaste
combat, alors autant s'y préparer tout de suite »*, l'enfant
a une tendance à exprimer son agressivité de façon plus
acceptable : il la sort avec des mots ou bien «joue» à la
violence (au cow-boy, à la bagarre, à des combats ritua-
lisés,…) au lieu de passer directement à l'acte sur le
corps de l'autre.

▶ Un facteur est déterminant dans cette partie de l'éducation où il s'agit pour les parents de respecter les sentiments de leur enfant tout en contraignant ses actes. Il
s'agit de leur propre attitude. **Le contrôle de soi
s'apprend par l'exemple.** Comment des parents qui se
mettent facilement en colère, crient et se livrent à des
actes de violence physique sur leur enfant pourraient-il
reprocher à celui-ci d'en faire autant ?

Il faut éviter de mordre l'enfant qui mord ou de taper
celui qui tape, car alors on justifie son acte plus qu'on ne
l'interdit *(« Si maman peut le faire, pourquoi pas
moi ? »)*. Crier encore plus fort que son enfant, lui
démontrer sa propre agressivité, le menacer de ne plus

l'aimer, lui coller une étiquette de *« méchant garçon »*, ou contredire devant lui l'autorité de l'autre parent, sont des attitudes qui ne peuvent qu'avoir des effets négatifs à court ou long terme.

> Seules une contrainte amicale et une attitude faite de compréhension mais de grande fermeté pourront améliorer la situation.
>
> On apprend à un enfant à se contrôler par l'exemple, en dominant ou en dérivant sa propre colère, mais sans céder et en faisant respecter la loi avec constance.
>
> Un enfant agressif n'est pas un enfant méchant, il a seulement l'âge qu'il a. Aussi faut-il toujours le réconforter sur le fait qu'il est « bon » et qu'il est aimé.

LES MORSURES

Elles sont normales et banales jusque vers deux ans. L'enfant n'est pas encore sorti totalement de l'**oralité** et la bouche sert aussi bien de moyen de faire connaissance que de lieu pour exprimer l'amour ou l'agressivité. L'attitude à adopter est la même que celle décrite ci-dessus et exclut à tout prix que l'on morde en retour. Lui montrer que cela fait mal ? Il le sait fort bien.

Au-delà de cet âge (deux ans, deux ans et demi), l'enfant qui mord de temps en temps lors des disputes, mais semble par ailleurs heureux et sociable, ne pose pas de problèmes. Seul celui qui semble nerveux, malheureux et mord sans raison apparente demande que l'on recherche ce qui le perturbe actuellement.

L ES COMPTINES GESTUELLES

Elles sont d'une utilité formidable pour aider l'enfant à se repérer dans son **schéma** corporel (l'image qu'il a de son propre corps), à développer son sens du **rythme** et sa **coordination** motrice. A son âge, vous pouvez chanter et mimer avec lui. Très vite, il connaîtra les petits airs par cœur et sera heureux de les interpréter.

Certaines de ces comptines insistent davantage sur la connaissance du corps, d'autres sur la détente ou la décharge des tensions. Certaines sont des berceuses qui amènent au sommeil, d'autres développent l'acuité visuelle ou auditive.

Vous connaissez certainement *Pomme de reinette et pomme d'api, Ainsi font, font, font les petites marionnettes, Sur le plancher, une araignée, Le grand cerf* ou *Je fais le tour de la maison*. Mais il en existe bien d'autres. Vous les trouverez sous forme de cassettes (avec l'explication des gestes) ou dans des ouvrages faciles à se procurer. Les institutrices, le personnel de crèche et les responsables de bibliothèques d'enfants sont aussi une bonne source de renseignements.

L'ENFANT DE 21 A 23 MOIS

QUI EST L'ENFANT DE 21 A 23 MOIS ?

PERSONNALITÉ

Ce trimestre est une période de transition entre l'affreux jojo de la période précédente et l'adorable bambin de deux ans. Le gros de la lutte pour marquer son autonomie est joué. L'enfant y a gagné en confiance en lui : il peut maintenant faire plaisir à l'entourage sans avoir l'impression de se renier et **renonce** donc **peu à peu à ses refus systématiques**. Ses *« non »* ont souvent valeur de plaisanterie et n'offrent plus la même conviction. Si les obligations sont proposées sous forme de jeux plutôt que de contraintes, elles passent généralement bien.

Si l'enfant reste **très actif**, il se montre **plus affectueux**. Mais le conflit intérieur entre son désir d'indépendance et le besoin qu'il ressent de ses parents n'est pas résolu. Il se traduit moins par des colères ouvertes que par une **lutte quasi permanente pour le pouvoir**.

La question sous-jacente est : *« Qui dirige ici ? Qui décide de l'ambiance, de l'heure du coucher, etc. ? »* La réponse n'est pas toujours : l'adulte, car l'enfant passe son temps à donner des ordres à tout le monde. Si on ne lui mettait pas de limites, il commanderait volontiers à tout son entourage.

Or, sans écraser cette nouvelle tendance de son caractère, il est tout à fait possible de l'initier progressivement à la négociation et au compromis, ce qui rendra la vie quand même plus facile !

▶ Si le caractère s'arrange au cours de ce trimestre, certains enfants sont volontiers frondeurs et désobéissants. Plutôt que de les prendre de front, il semble souhaitable de **renforcer les comportements positifs** en les félicitant et les récompensant chaque fois qu'ils se conduisent conformément à ce que l'on attend d'eux, et de leur donner pendant quelque temps un surcroît d'attention, d'affection et de présence.

L'agressivité physique de certains enfants de cet âge vis-à-vis de leurs pairs ou vis-à-vis des adultes est encore forte. Les parents ou les adultes éducateurs ne doivent en aucun cas accepter de se laisser frapper ou mordre. **Un comportement agressif doit être stoppé dès qu'il est perçu** et l'on doit clairement faire comprendre à l'enfant qu'une telle attitude est totalement réprouvée. Ce qui exclut, bien sûr, tout renvoi agressif de la part de l'adulte, car, alors, où serait l'exemple ? La fermeté confiante, qui ne punit pas, mais explique et exclut si nécessaire, est beaucoup plus efficace à long terme.

L'enfant s'intéresse généralement à la **propreté** : pour ceux que l'on sent prêts, il est temps de leur proposer le pot. Parallèlement, il s'intéresse à **l'ordre** (on peut lui expliquer où se rangent les choses : il s'en souviendra et saura les remettre à leur place) et à la **propriété** (ce qui est à moi, ce qui est à toi). Ces trois éléments : propreté, ordre et propriété, sont avec l'autorité, les points fondamentaux qui définissent le caractère de l'enfant de cet âge.

DÉVELOPPEMENT PHYSIQUE

L'enfant de cet âge est généralement capable de **monter un escalier debout**, sans aide, en se tenant à la rampe. Il prend beaucoup de plaisir à danser sur de la musique et à sauter pieds joints sur un trampoline muni d'une barre d'appui ou sur un lit si on lui tient les mains.

Ses mains sont plus habiles. Elles savent désormais tourner, pivoter, enfoncer, relâcher. Du coup, l'enfant devient plus sûr et plus rapide pour faire des puzzles **simples** et **encastrer des formes** dans les trous correspondants. Il différencie bien les formes les unes des autres. Il mange aussi plus proprement. Mais, surtout, il devient très fort pour allumer la chaîne stéréo ou jouer avec la télécommande du téléviseur !

▌ LANGAGE

Si les colères diminuent de fréquence et d'intensité au cours de ce trimestre, c'est surtout parce que l'enfant s'exprime mieux. Il a à sa disposition des mots et **des phrases** qui se révèlent bien plus efficaces pour parvenir à son but que les colères et les cris. Les injures remplacent les coups, les mots expriment les attentes, les désirs et les déceptions.

Les écarts d'un enfant à l'autre restent importants, même si l'on peut dire que la plupart des enfants de cet âge combinent les mots simples et commencent à en faire des phrases. Leur vocabulaire s'accroît rapidement car ils sont ravis de savoir que **chaque chose a un nom** et n'ont de cesse de les connaître.

▶ C'est l'époque où l'on peut jouer avec les parties du corps, puisqu'il le connaît bien désormais, en lui demandant par exemple : « *Mets ta main sur la tête* », « *Lève un pied* », « *Tourne la tête* », etc.

On peut aussi fabriquer son propre imagier à l'aide d'un classeur rempli de chemises plastifiées. Dans ces chemises, on glisse des photos ou des dessins d'objets que l'on a découpés et qui commencent tous par le **même**

son. Par exemple, dans une chemise, on trouvera un ananas, une assiette, un aspirateur, un avion. Dans un autre, une salade, un singe, un seau, une cerise (à ce stade, seuls les sons comptent et non la façon dont ils s'écrivent).

Comme l'enfant de cet âge est généralement passionné par les animaux, on peut en profiter pour les lui présenter (au zoo, à la ferme ou sur des photos) et lui apprendre à en **imiter les cris**. Ce petit jeu, que les enfants adorent, à la fois accroît leur vocabulaire et stimule la souplesse de leurs cordes vocales en les faisant jouer avec des sons nouveaux.

JEUX ET JOUETS

L'autonomie de jeu de l'enfant s'accroît. Il peut dorénavant jouer **un long moment seul**, à condition qu'un adulte se trouve à proximité.

Il aime **se déguiser** avec toutes sortes d'habits et d'accessoires empruntés aux adultes. Alors, il joue à les imiter, à mettre en scène des situations dans lesquelles il prend plaisir à les faire participer réellement en donnant un rôle à chacun.

Il aime toujours jouer avec l'eau, la boue, le sable, mais il peut dorénavant se rendre sur un **terrain de jeux** aménagés pour les jeunes enfants. Les structures complexes où il peut escalader, monter, descendre, glisser, se balancer, lui conviennent parfaitement, mais il faut encore l'encourager ou le surveiller de près pour prévenir les chutes éventuelles.

Ses jouets favoris sont ceux qui ont **un manche** : râteau, balai, marteau, pelle, pinceau,… Il peut commencer à jouer avec un jeu de **loto** très simple qui consiste à poser une carte-image sur le dessin correspondant. Il feuillette seul ses **imagiers** ou ses livres d'histoires favoris qu'il fait semblant de lire seul tant il les connaît bien. Mais il aime également l'observation des **insectes** ou le ramassage des coquillages, le jeu de **cache-cache** ou l'invention à partir de matériaux mis à sa disposition.

L E RIRE ET L'HUMOUR

Les jeunes enfants sont naturellement gais et plaisantins lorsqu'ils sont heureux et en bonne santé. Je suis sûre que le vôtre en témoigne tous les jours. La gaieté est l'état émotionnel normal de tout enfant qui se développe sans problèmes.

Le rire comme signe de **santé psychologique** et comme témoin d'un bon développement mental? Sans aucun doute. L'enfant qui rit prouve qu'il vit dans une bonne ambiance avec ceux qui l'entourent. Avec ses parents comme avec ses frères et sœurs, il est capable de nouer des relations simples et saines. Il sait, sans se laisser envahir par l'anxiété, prendre du recul. Il est sensible à l'humour des situations et montre ainsi qu'il les connaît bien.

Mais aussi le rire comme signe de bonne **santé physique**. En même temps que le jeu, le rire disparaît chez l'enfant atteint d'une grave maladie. Puis revient lorsque l'enfant va mieux. Savez-vous que, de façon parallèle, le rire peut aider à être en bonne santé? Il est prouvé que rire libère dans le sang des substances chimiques qui aident à lutter contre les maladies… Et je ne parle même pas de la bonne santé mentale qui est bien sûr tout aussi importante.

Chaque fois qu'un enfant rit, il accumule des trésors de bien-être. Il le sait bien, puisqu'il passe une bonne partie de son temps à jouer à cache-cache derrière les rideaux, à blaguer, à rechercher les taquineries et les chatouilles. Il est sûr que l'enfant perçoit également très vite le pouvoir de son sourire et de son rire.

Telle petite fille charme son entourage (et notamment son papa…) avec des sourires enjôleurs et des petits rires de gorge. Tel petit garçon coupe court à toute tentative de sévérité de la part de ses parents en les accueillant, après chaque nouvelle bêtise, par un rire tout à fait désarmant qui semble dire : « *Drôle, hein, mon initiative !* » Ses parents rient avec lui de bon cœur, fiers, au fond, de ce petit bonhomme si malin !

On a d'ailleurs constaté que la gaieté d'un enfant était directement liée à la bonne **qualité des relations** qu'il entretient avec son entourage. Si ses proches sont le plus souvent souriants et l'atmosphère détendue, l'enfant sera naturellement rieur. Si ses parents sont son meilleur public, il prendra l'habitude de s'amuser et de faire rire. Mais alors pourquoi les parents sont-ils si nombreux à l'arrêter dans son élan ? On entend trop souvent des réflexions comme :

« *Arrête de faire le clown, tu n'es pas drôle !* »
« *Ne fais pas de grimaces, tu vas rester comme ça !* »
« *Arrête de chahuter, tu nous casses les oreilles !* »

▶ Au lieu de se laisser entraîner à rire avec lui, on transmet l'idée que rire est du temps perdu et que la vie est une chose grave à prendre avec sérieux. Si vous voulez que votre enfant trouve belle la vie, **faites le contraire** :

■ **Taquinez-le** gentiment (il perdra peu à peu sa susceptibilité) et laissez-vous taquiner en retour.

■ **Sachez vous moquer de vous-même** lorsque vous avez fait une bêtise : il apprendra à en faire autant et rire de soi est la base de l'humour.

■ Repérez et **amusez-vous ensemble** de tous les côtés absurdes ou risibles de la vie quotidienne.

■ Lors d'une chute sans gravité mais pas sans peur, quand votre enfant vous regarde, hésitant entre le rire et les larmes, **souriez**, sans gronder ni vous inquiéter : alors il prendra le parti de rire et apprendra à exorciser ses peurs.

■ **Laissez-vous aller** à « bêtifier » ensemble, à dire des bêtises, à jouer au monstre, à être un peu fou.

■ Mettez en évidence le **côté positif des situations** (il y en a toujours un, même si ce n'est pas celui qui vient le premier à l'esprit).

■ **Ne vous lamentez pas** sur le malheur du monde et sur vos difficultés de vie. Le sérieux et la gravité ne sont pas des valeurs en elles-mêmes et vivre n'est pas en soi un problème.

■ Efforcez-vous de ne jamais finir **une journée** avec vos enfants sans avoir partagé avec eux **quelques éclats de rire**. Si vous ne savez pas de quoi rire ni comment, suivez-les dans leurs inventions : eux savent très bien. Ils sont merveilleusement doués pour la joie de vivre, à moins que nos attitudes d'adultes ne viennent les détromper.

Il n'est rien de plus triste que de grands enfants sans aucun humour, ne comprenant pas les jeux de mots, incapables de « renvoyer la balle » si on les taquine, susceptibles et ployant déjà sous le poids de leur vie.

Pour éviter cela, **videz ensemble vos tensions** par de grands éclats de rire complice né du chahut, des chatouilles et du corps-à-corps familier. Le rire est la meilleure des thérapies et la meilleure des habitudes familiales. Rire ensemble vaut toujours mieux que s'énerver les uns après les autres.

Or, bien souvent, le même événement, qui nous ferait rire si on le voyait au cinéma ou chez les autres, nous énerve simplement parce que nous sommes déjà tendus et fatigués. Le rire, en détendant, dénoue les crises. Comme personne ne boude ni ne s'enferme, il ne coupe pas la communication entre les partenaires et vous verrez que tout le monde se sent beaucoup mieux.

L'habitude de rire ensemble crée une complicité entre les parents et les enfants qui se révèle bien précieuse à tout âge et plus encore lorsqu'on aborde les rivages de l'adolescence...

L'ACQUISITION DU LANGAGE

Entre un an et demi et deux ans, le niveau de langage d'un enfant à l'autre est très variable. Mais c'est, pour tous, une période très importante d'**acquisition de vocabulaire et de structures syntaxiques** (construction de phrases).

Peu à peu, on voit l'enfant passer des « mots-phrases », mots uniques porteurs de significations diverses et complexes, à des phrases structurées où apparaissent l'ordre, la négation, l'interrogation, etc.

Si le « parler bébé » qui consiste à simplifier l'articulation et à alléger la phrase va persister encore quelque temps, il va laisser progressivement la place à des constructions plus proches du discours adulte.

LE ROLE DE LA FAMILLE

On connaît l'importance du langage dans notre société. Comment se débrouiller à l'école, comment se faire comprendre des autres, comment, plus tard, aborder l'écrit, si l'on ne maîtrise pas correctement l'oral ? Or, c'est à cette période, entre un et trois ans, que l'essentiel se joue. L'enfant est alors très intéressé par le langage que son cerveau acquiert avec une grande facilité.

De nombreuses études ont montré que le rôle de la famille dans l'acquisition d'un bon langage était **considérable**. Il ne faut pas, bien sûr, que la pression soit trop forte, car elle découragerait l'enfant plutôt que de l'entraîner. Mais une absence de stimulation peut provoquer un retard dans les acquisitions, qu'il ne sera pas forcément facile de rattraper ensuite.

COMMENT AIDER L'ENFANT?

Un enfant apprend à parler pour se faire comprendre et pour communiquer. Il faut donc qu'il en ressente le besoin. Cela signifie qu'**il n'apprendra pas à parler en écoutant la télévision ou la radio**, mais en échangeant avec ceux qu'il aime sur des sujets qui le touchent de près.

> ▶ **L'entraîner dans des conversations, lui parler, le faire parler, lui laisser le temps de s'exprimer, lui montrer que parler ensemble est un plaisir mais aussi que la parole est pouvoir, c'est l'ensemble de ces attitudes qui aide un enfant à développer son langage.**

■ S'asseoir **sur les genoux** de son père ou de sa mère pour feuilleter ensemble **un livre d'images** ou lire une petite histoire toute simple avec de belles images est une grande joie pour l'enfant et une bonne façon de développer son vocabulaire.

■ Pourquoi se limiter aux histoires écrites? On peut aussi en **inventer, avec des poupées, des peluches ou des marionnettes**. Il est plus facile d'entraîner l'enfant dans le jeu et de le faire parler à son tour. Si l'ours le questionne, il répondra volontiers.

L'enfant aime particulièrement qu'on lui raconte des histoires où l'on joue de sa voix : **accents, sons aigus ou graves**, le ravissent.

■ Lorsque l'on est avec l'enfant, que l'on joue ou que l'on se promène, on peut **décrire, avec un vocabulaire détaillé, ce que l'on fait ou ce que l'on voit**. *« Je t'envoie le camion bleu. Tu vois, il est gros. Cette voiture-là, la rouge, est plus petite. Mais elle roule vite. Tu la prends ? »*, etc. L'essentiel est de parler avec des phrases courtes, des mots simples, afin d'être bien compris de l'enfant.

■ **L'enfant aura du mal à dire « je » si ses parents ont toujours parlé d'eux à la troisième personne :** *« Donne à Maman »*, *« Papa va te donner ta soupe »*, etc. Cette façon de parler n'est en rien plus simple pour l'enfant, au contraire.

■ **On peut difficilement demander à un enfant de parler mieux que ses parents.** Si ces derniers disent « i » pour « ils », oublient le « ne » des négations, ne construisent pas leurs questions sur le mode interrogatif (*Tu en veux encore ? »* au lieu de *« En veux-tu encore ? »*, par exemple), utilisent des mots de bébé *(bobo, zizi, mimi,…)*, doublent les sujets (*« La fleur elle est fanée »*), et manient couramment les gros mots, leur enfant parlera comme eux. L'apprentissage de la langue se fait par imprégnation et non dans un livre de grammaire.

■ De toutes façons, **il est inutile de reprendre un enfant de cet âge pour la prononciation ou pour le langage** lui-même. S'il parle, c'est du mieux qu'il peut, en fonction de son développement physique et intellectuel et de ses possibilités.

Il a juste besoin d'encouragements, d'écoute, de dialogue et de temps pour faire des progrès formidables au cours de l'année qui vient et devenir alors un intarissable bavard.

L A CRISE D'OPPOSITION

A cet âge, les problèmes de discipline deviennent plus fréquents. A force de vous entendre dire « *Non* », l'enfant a fini par apprendre le mot qui est devenu le plus fréquent de son vocabulaire. Bien souvent, les *non* répondent aux *non* et l'escalade atteint vite des sommets d'où il est difficile de redescendre. Les conflits sont nombreux. Ses parents lui demandent de s'habiller ? C'est non. De manger sa soupe ? C'est encore non. D'aller se coucher ou de se laver ? C'est toujours non. La patience de l'adulte est mise à rude épreuve. Aussi est-il utile d'expliquer le sens de cette crise que traverse l'enfant et que l'on nomme à juste titre la crise d'opposition.

Une phrase résume bien la situation : « *L'enfant se pose en s'opposant.* » Maintenant qu'il se sait et se sent bien un être humain autonome, il tient à se poser comme tel. Pour que personne n'ignore qu'il a des **désirs propres**, il va les affirmer, de manière souvent systématique, en opposition directe aux désirs de l'adulte en face de lui. Ces *non* n'ont **pas toujours valeur de refus** (et beaucoup peuvent être détournés) mais ils sont toujours affirmés avec beaucoup de conviction. Cette naissance de sa personnalité est totalement respectable, même si elle est éprouvante.

► Donc il est bon et normal que l'enfant s'oppose. Mais il est tout à fait souhaitable également qu'il trouve en face de lui **une volonté supérieure à la sienne** qui sache faire preuve de la fermeté nécessaire. Il doit comprendre que, sur les choses importantes, ce n'est pas lui qui décide.

La suite des rapports parents-enfant se joue là : soit

l'enfant apprendra progressivement à se dominer et deviendra un enfant agréable et raisonnable, soit il deviendra une terreur dont on aura bien du mal à venir à bout.

■ L'excès d'autorité et d'exigences tout comme le laisser-faire total ne donnent pas, à long terme, de bons résultats : enfant écrasé, enfant gâté, enfant malheureux ou mal dans sa peau. Il va donc falloir naviguer entre ces deux écueils. Cela signifie d'abord **faire preuve de patience et de souplesse**.

L'enfant ne contrôle pas encore ses actes, ses impulsions et ses émotions. Il est encore incapable de prévoir les conséquences de ses actions. Aussi est-il perdu d'avance d'attendre de l'enfant de cet âge plus qu'il ne peut donner, qu'il ait des comportements raisonnables par exemple. Cela reviendrait à le mettre en échec face aux exigences de l'adulte et minerait sa confiance en lui.

Il est inutile et néfaste également **de crier fréquemment** après lui. Il aurait peur, serait malheureux et ne comprendrait pas.

S'il est « dur », c'est parce qu'il est un enfant de deux ans normal et non parce qu'il est méchant. S'il provoque, c'est parce qu'**il cherche à comprendre comment les adultes fonctionnent** et ce qui les fait réagir d'une façon ou d'une autre. C'est toute son intelligence de l'autre qui se construit.

■ Mais naviguer entre les écueils de l'autoritarisme et du laxisme signifie aussi être capable de **se faire obéir**. Certains parents passent un temps important à s'expliquer avec leur enfant, à négocier, comme s'ils se justifiaient auprès de lui d'avoir à imposer quelque chose. Comme s'ils espéraient aussi que l'enfant obéirait à la suite d'une démarche intellectuelle. A cet âge, cela ne se justifie pas.

Il faut bien sûr **expliquer brièvement à l'enfant le pourquoi des interdits** ou des demandes afin qu'il ne se sente pas victime d'un arbitraire. Mais il n'est pas en âge de tout comprendre et l'adulte doit pouvoir, au bout d'un moment, mettre fin à la discussion en imposant sa volonté.

Voici un exemple classique. *La mère va récupérer son enfant à la crèche ou chez l'assistante maternelle. L'enfant, qui a pourtant attendu sa mère depuis des heures, fait mine, une fois rassuré sur sa venue, de ne pas vouloir la suivre. Il file à l'autre bout de la pièce où il se cache. La mère discute, justifie : il est tard, il faut passer chercher le pain, Papa attend. Mais l'enfant s'obstine et la scène dure, gênant beaucoup les autres enfants ou adultes présents. La mère se laisse manipuler, promet un bonbon, et la scène se reproduit soir après soir.*

Que faire ? Après un délai raisonnable de palabres et de patience, refuser de discuter davantage, prendre son enfant sous le bras et partir. Expliquer, oui ; partir dans des discussions sans fin, non.

▶ Il y a deux autres façons de se faire respecter de son enfant.

D'abord **ne pas crier, mais, autant que possible, garder une voix calme et décidée**, même si lui crie très fort. Sinon vous faire monter sur vos grands chevaux deviendra son jeu favori.

Ensuite **ne pas prononcer trop de paroles en l'air**. Votre autorité sera difficilement prise au sérieux si vous promettez sans tenir et menacez de fessées ou punitions qui ne viennent jamais. *« Maintenant cela suffit ! »* doit vraiment être votre dernier mot et non le premier d'une longue discussion.

Il vaut cent fois mieux commencer par faire preuve de patience puis mettre fermement un terme à la situation, plutôt que commencer par dire non puis se faire avoir à l'usure.

F ESSÉES ET PUNITIONS

■ La fessée ne peut pas être un élément à part entière de la discipline. Elle reste toujours l'attaque d'un grand sur un petit et, à ce titre, ne peut être un principe éducatif.

Tout au plus peut-elle être une **solution d'urgence** qui vient soulager la tension de celui qui la donne et alléger la culpabilité de celui qui la reçoit. Donnée de façon convaincue mais contrôlée, elle n'est pas destinée à faire mal mais à souligner la détermination parentale. Mieux qu'un long discours, elle assainit l'atmosphère.

Certains enfants sont élevés sans recours à la fessée, quand d'autres semblent les chercher. Chez certains parents, un froncement de sourcils ou une grosse voix est plus lourd de menaces et peut faire plus mal qu'une tape sur les fesses. Il n'y a pas de règle générale.

■ La punition est aussi une solution à double tranchant. **Justifiée, reçue après un avertissement, donnée rapidement, assortie à la faute**, elle peut aider les parents à asseoir leur autorité. Mal contrôlée, elle peut être ressentie comme une humiliation et une injustice. Être mis « hors jeu » (sorti de la pièce, mis au coin, enfermé dans sa chambre) pendant quelques minutes est généralement suffisant.

Ni l'une ni l'autre ne doivent « échapper » aux parents et laisser penser à l'enfant qu'il n'est plus ou moins aimé. Pour cela, **elles doivent rester exceptionnelles**.

L E SPASME DU SANGLOT

Il s'agit d'une brève perte de connaissance (quelques secondes... mais cela peut sembler très long) survenant à la suite d'un facteur déclenchant bien particulier : **émotion, contrariété, colère, frustration.** Ce spasme est un phénomène fréquent puisqu'on pense qu'environ 4 à 5 % des enfants en feront au moins un entre cinq mois et cinq ans (la plus grande fréquence d'apparition se situe entre dix-huit mois et deux ans).

On observe une forme «bleue» où l'enfant perd son souffle au cours d'un accès de larmes ou de colère. L'apnée survient, l'enfant se cyanose et perd connaissance. La forme pâle, moins fréquente, survient à la suite d'une frustration : l'enfant ne crie pas mais devient pâle et perd également connaissance. **Dans tous les cas, le réveil survient rapidement** et l'enfant reprend ses esprits en quelques minutes.

Médicalement, le spasme du sanglot ne présente aucun caractère de gravité. Il n'est que la conséquence bénigne et sans séquelles d'une émotion violente ressentie par l'enfant.

Il n'en est pas de même sur le plan psychologique et éducatif. Si le premier spasme survient généralement de façon accidentelle, **la réaction de l'entourage sera déterminante** pour la suite des événements. La peur et l'attention immédiate de la mère va renforcer un comportement qui aura, dès lors, tendance à se reproduire.

Il est vrai qu'un tel spasme est très impressionnant pour qui n'est pas averti. Les parents, craignant un nouveau spasme, en viennent à surprotéger leur enfant et n'osent plus rien lui refuser. Les conséquences sont évidentes : l'enfant devient tyrannique et joue avec l'anxiété de ses proches pour aboutir à ses fins. C'est un moyen très efficace !

▶ Que faire ? Lors de la crise, l'essentiel est de **garder son calme** sans montrer à quel point elle déclenche en soi de frayeurs. Allongé sur le sol, l'enfant reprend vite des couleurs.

Mais le mieux est encore, lorsque l'on sent la crise s'annoncer (la grosse colère qui démarre à la suite d'un refus par exemple), de **sortir tout simplement de la pièce**. Sans témoin, le spasme tourne court. Si, convaincu que ce symptôme sans gravité ne vise qu'à permettre à l'enfant d'obtenir ce qu'il veut, vous ne vous laissez nullement impressionner, les spasmes du sanglot disparaîtront.

A plus long terme, il est permis de **s'interroger sur la nécessité qu'a l'enfant de faire un tel «cinéma»**. N'est-il pas entouré d'un climat trop anxieux ? Ses parents ont-ils su mettre en place une relation de confiance où l'enfant ne doute pas de l'amour qu'on lui porte ? Une discipline ouverte mais ferme est-elle appliquée, ou bien les parents se sentent-ils facilement «débordés» par leur enfant ?

Ce sont de telles questions qu'il est bon de se poser si les spasmes du sanglot se reproduisent.

IL EXPLORE TOUT SON CORPS

Au cours de cette période, tous les enfants explorent leur corps et ses possibilités. Au passage, et parce qu'ils passent davantage de temps sans couches, ils découvrent leurs organes génitaux. Lieu intéressant, sensible aux attouchements.

Ces caresses sont normales. Plus fréquentes au moment du coucher, ou bien lorsque l'enfant est triste, fatigué ou qu'il s'ennuie, elles ne méritent pas d'attention de la part des adultes et encore moins de réprimandes.

Ces attouchements n'ont pas pour l'enfant le même sens et ne déclenchent pas les mêmes sensations que des activités identiques dans une sexualité adulte. Ils ne sont pour lui qu'une conséquence agréable de l'exploration systématique de son corps.

▶ Dans le cas où l'enfant se livre à la masturbation en public, et dans la mesure où cela gêne les parents, on peut fort bien lui **expliquer gentiment que ces caresses se font dans l'intimité**, lorsque l'on est seul dans sa chambre ou dans son lit. C'est son corps, ce qu'il en fait lui appartient. Simplement, certaines choses, comme celle-ci, ou comme les fonctions d'excrétion, ne se font pas devant les autres.

Sinon, **le mieux est d'ignorer**. L'enfant cessera de lui-même lorsqu'il passera à une étape suivante de son développement. En revanche, le disputer, se moquer de lui, ironiser ou le menacer fixent son comportement, lui donnant une importance qu'il n'a pas. L'enfant se culpabilise, se sent fautif, et cela peut avoir des répercussions sur son développement et sa joie de vivre. Dire au petit garçon que son zizi va tomber ou qu'on le lui coupera est aussi ridicule que dangereux.

▶ Si la masturbation devient une activité qui envahit la vie de l'enfant, c'est qu'il se heurte à des **problèmes de vie** qui n'ont pas été entendus ou compris. Il convient dès lors non de le réprimander mais de **l'aider**, au besoin avec le concours d'un professionnel de la psychologie de l'enfant.

L' ENFANT HYPERACTIF

A cet âge, c'est presque un pléonasme! Pourtant il est clair que **certains enfants semblent bien plus difficiles que d'autres**. On dirait qu'ils traversent une phase diabolique: ils ont une force et une énergie colossales qu'ils mettent au service du refus et des bêtises. On a parfois l'impression que rien ni personne ne peut en venir à bout. Ils épuisent tous ceux qui s'en occupent et, au premier plan, leurs mères. Les tensions familiales engendrées aboutissent à de véritables cercles vicieux dont on ne sait parfois plus comment sortir. Voici la description de l'un de ces enfants.

Tant que Paul dort, la maison est calme. Mais cela ne dure pas, car Paul est matinal. Le dimanche comme en semaine, il est rare qu'il dépasse sept heures du matin. Là, la fête commence. Il saute dans son lit, jette ses jouets, appelle de toutes ses forces. Il meurt de faim. Mais dès cette heure-là, c'est la bagarre et les problèmes qui commencent.

Au petit déjeuner, dès que sa mère a le dos tourné, il renverse son verre de jus d'orange et patauge dedans. Puis Paul refuse le bain: il faut l'appeler dix fois avant qu'il daigne venir. Ses parents ont l'impression qu'il ne les écoute pas et qu'il faut toujours crier pour attirer son attention. Après le bain, il refuse de s'habiller. A l'écouter, il mettrait toujours les mêmes vêtements, aussi sales soient-ils.

Avec lui, on a l'impression que tous les actes ordinaires de la vie posent un problème. Manger, s'habiller, se laver, aller faire des courses, se coucher, sont autant d'épreuves qui mettent tout le monde à cran. Car le reste de la journée est à l'avenant.

Lorsque Paul joue avec des enfants de son âge, cela se termine fréquemment par des coups, des pleurs et des morsures. Dès qu'on lui refuse quelque chose ou qu'on l'interrompt dans une activité, il part dans une grosse colère très impressionnante, il se roule par terre, se met dans des états incroyables, et l'on finit souvent par céder pour qu'il ne se fasse pas trop de mal. Il n'écoute pas les mises en garde, semble ne pas comprendre les menaces et les punitions sont apparemment sans effet.

Quand enfin le soir arrive, ses parents sont épuisés. Après un dîner auquel Paul a refusé de toucher, le rituel du coucher n'en finit plus. Paul rappelle ou se relève dix fois, et c'est bien souvent encore sur un conflit que se clôt la journée.

Il existe bien sûr des moments où Paul redevient un petit garçon agréable, tendre, plein d'entrain et d'humour, séduisant tout son monde. Des moments qui font oublier le reste. On espère, on se prend à rêver que cela dure... Mais cela ne dure pas.

Vous pensez que j'exagère ? Tant mieux : c'est que votre enfant ne ressemble pas à celui-ci. Le jeune Paul est vraiment terrible, mais bien des enfants de cet âge, filles ou garçons, partagent avec lui tel ou tel trait de caractère qui rendent la vie à cette époque bien difficile.

■ D'abord ces enfants sont d'un **niveau d'activité très élevé** : toujours en mouvement, apparemment jamais fatigués, ils finissent par s'exciter et perdre tout contrôle sur eux-mêmes. Ils passent d'une activité à l'autre, semblant incapables de se concentrer, d'écouter ou de rester tranquilles quelques minutes. Soutenir son attention sur une tâche, le temps de lire un petit livre par exemple, c'est encore trop pour eux.

■ En revanche, ils détestent que vous les interrompiez dans leur activité ou que vous leur preniez ce qu'ils ont en main : c'est à eux de décider de leurs activités et non à vous. **Toute contrainte que l'on exerce sur eux est mal vécue.** Ce qui fait qu'il est difficile de leur imposer un horaire régulier : la mise au lit, ainsi que les repas, sont une véritable épreuve de force. Les difficultés de sommeil et d'alimentation ne sont pas rares.

■ Ils sont de plus dotés d'un **tempérament très sensible** qui les fait réagir brutalement et excessivement à tout changement d'ambiance : ils se braquent, se surexcitent ou partent dans de longues colères pour des riens. Certains, bébés, avaient déjà du mal à dormir et pleuraient beaucoup. Des statistiques américaines ont montré que ces traits de caractères concernaient environ quatre fois plus de garçons que de filles.

La vie d'une famille où vit un enfant ressemblant à ce portrait peut être singulièrement perturbée. Perturbation pour les autres enfants, auxquels on prête moins d'attention et qui vivent dans un climat de tension permanente. Perturbation pour le père qui aimerait bénéficier d'un peu de repos aux repas, le soir, la nuit, et ne comprend pas pourquoi son autorité est sans effet. Mais perturbation essentiellement pour la mère qui se trouve toujours, dans ces cas-là, au centre des tempêtes.

La mère est vite épuisée nerveusement au contact de son enfant. Elle a l'impression, alors qu'elle avait rêvé de câlins et de complicité avec son enfant, de passer son temps à interdire et à réprimander. Elle se sent incapable d'imposer une discipline suivie et la force de volonté de son enfant la fatigue (tout en la séduisant parfois).

De là naît souvent une forme de culpabilité : *« Je ne sais pas m'y prendre. Les autres enfants ne sont pas comme cela »*, et de rancune : *« Il le fait exprès pour me faire enrager. A chaque fois qu'il le peut, il me pro-*

voque. » Enfin, il n'est pas rare que des problèmes familiaux ou conjugaux viennent s'ajouter à ces incessants conflits où la patience et la bonne volonté de chacun sont poussées à bout.

▶ **Si ce portrait ne vous ressemble pas du tout, il aura au moins eu l'utilité de vous faire paraître vos difficultés d'éducation plus légères en regard de celles-ci.**

Mais si vous vous y retrouvez peu ou prou, sachez que rien n'est perdu ou inéluctable.

Il existe des manières de retrouver et d'exercer normalement une autorité sur votre enfant et de retrouver une vie plus calme.

Vous avez besoin de prendre du recul et de faire le point, tranquillement, pour voir où vous en êtes.

Posez-vous des questions simples, mais fondamentales, comme :

▪ Qui est responsable de l'ambiance à la maison ? Qui dirige ? **Qui est actuellement le maître à bord ?** Est-ce bien qu'il en soit ainsi ?

▪ Quels sont les **comportements véritablement inacceptables** de la part de votre enfant et ceux sur lesquels vous pourriez « lâcher du lest » (on ne peut se battre sur tous les fronts à la fois) ? Êtes-vous, à deux parents, d'accord sur ce point ?

▪ Quels sont les **comportements qui vous font « démarrer au quart de tour »** ? Pourriez-vous, à ce moment-là, respirer à fond trois fois avant de commencer à crier et peut-être en profiter pour trouver une réaction plus adaptée ou plus efficace ?

▪ Quelles sont les **situations** qui tournent systématiquement au drame et que vous auriez intérêt **à supprimer provisoirement** (les courses au supermarché, les repas de famille, etc.) ?

■ Votre enfant est-il plus facile lorsqu'il est **avec d'autres adultes** qu'avec vous ? Si oui, comment s'y prennent-ils avec lui ?

■ Quels **moyens de pression** avez-vous sur votre enfant, autres que ceux que vous utilisez actuellement et qui semblent sans efficacité ?

■ Quel **plan d'action**, différent de ce que vous faites actuellement et mûrement réfléchi entre vous, pouvez-vous mettre en place afin que les choses changent vraiment ?

▶ Reportez-vous aux chapitres consacrés à l'autorité et à la discipline : ils vous donneront des explications sur ce qui se passe pour votre enfant et des propositions sur la façon de vous y prendre.

Mais sachez avant tout que ces enfants particulièrement actifs et difficiles ont, plus que d'autres, **besoin de compréhension et de confiance**. Leur vie doit être organisée avec le plus de stabilité possible. C'est la **mise en place d'habitudes et de routine** qui permettra d'éviter une grande part des conflits.

A l'intérieur de limites bien définies, il est recommandé de confier à l'enfant certaines tâches qu'il mènera seul à bien afin de lui donner confiance en lui, **qu'il se sente utile et responsable**. Car le problème serait aggravé s'il se sentait souvent mis en situation d'échec par rapport à ses tentatives ou par rapport aux enfants de son âge.

R ISQUES ET SANTÉ

« Ne cours pas, tu vas tomber ! », « Écarte-toi, tu vas te brûler ! », « Si tu ne dors pas maintenant, tu seras fatigué et désagréable demain ! », « Ferme ton manteau, sinon demain tu seras enrhumé ! », « Tu es bien comme moi, fragile des bronches ! », « Si tu ne manges pas ta soupe, tu ne grandiras pas », etc.

Autant de phrases que l'enfant entend souvent, très souvent. Les parents qui les prononcent ne se rendent généralement pas compte qu'ils présentent à leur enfant une **vision du monde dangereuse, négative… Et fausse**.

Car qui dit que l'enfant tombera, se brûlera ou s'enrhumera ? Le parent seulement. Mais une fois que la phrase est prononcée, elle a plus de chances de se vérifier. L'enfant considéré comme fragile et douillet par ses parents le sera forcément.

Pourquoi alors utiliser le futur, comme un mauvais oracle : *« Tu vas tomber »*, et non le conditionnel : *« Tu pourrais tomber »*, ou *« Tu risques de tomber »* ?

Il est vrai qu'il faudra encore longtemps à l'enfant avant d'**acquérir le sens du danger**. Il ne ressent pas, contrairement à certains animaux, une peur instinctive lorsqu'il se met dans une situation à risque. C'est donc bien aux adultes de faire cette éducation.

Mais il ne faut pas se tromper de moyen et finir par fragiliser l'enfant, ou miner sa confiance en lui, à seule fin de le protéger. L'inquiétude des parents doit décroître à mesure que les capacités de l'enfant croissent. Surveiller et prévenir, oui, mais ne pas préserver à tout prix de tous les dangers.

Une phrase comme : *« C'est risqué de grimper là, mais si je suis à côté de toi, tu peux essayer, vas-y »* encourage l'enfant à maîtriser un nouveau geste. Elle est beaucoup plus formatrice qu'une simple interdiction.

Il en est de même en matière de santé. De nombreuses recherches ont montré que **l'individu dispose d'un grand pouvoir sur son corps et sur sa santé**. Celle-ci, fondamentalement, ne dépend pas de la chance ou de l'hérédité, mais de l'état d'esprit.

Or trop de parents considèrent leurs enfants non comme des individus résistants dont l'état naturel est la pleine forme, mais comme d'éternels malades en puissance. Ils interdisent à l'enfant le moindre risque ou le moindre manquement aux habitudes, lui prédisant mille désagréments s'il sort sans bonnet, mange du chocolat, reste en plein soleil ou passe trop de temps dans la piscine.

Dans le même temps, être malade est presque une chance pour l'enfant : on s'occupe de lui, on l'emmène chez le médecin, on lui fait un petit cadeau, on le soigne, il reste au lit, on ne le force plus à manger autre chose que de la purée ou des coquillettes, maman ne va pas travailler, etc. Une vraie joie.

Mais qui le félicite, le remercie ou lui fait un présent lorsqu'il n'a pas été malade depuis trois mois ? Personne. Si bien qu'être fragile et tomber souvent malade est, pour l'enfant, une position plus appréciable qu'être en bonne santé.

Que faire ? Le contraire.

■ **Récompenser la bonne santé et non la maladie**, dont on s'occupe juste ce qui est nécessaire, en prenant garde à ne pas en faire une situation de plaisir. Idem pour les petits accidents, coupures, brûlures, bleus ou « bobos » en tout genre : une attitude sereine et confiante vaut toujours mieux que de se précipiter, plein d'angoisse, sur la pharmacie du coin ou le numéro de

SOS-Médecins. Bien souvent, l'enfant a tout en lui pour guérir simplement.

■ Adopter vis-à-vis de sa propre santé l'attitude que l'on aimerait développer chez son enfant, car, ici comme ailleurs, **l'exemple vaut plus que tous les discours**. Cela signifie ne pas se plaindre tous les soirs de la fatigue ou de la migraine, ne pas parler de ses maladies, ne pas avoir systématiquement recours à l'armoire à pharmacie, ne pas prendre de médicaments quotidiens devant les enfants, etc.

■ **Expliquer à l'enfant**, à l'aide d'images et de comparaisons simples, **ce qui se passe dans son corps** lorsqu'il est malade et le persuader qu'il peut agir sur sa santé.

Certains livres pour enfants peuvent vous aider à trouver les mots pour expliquer la fièvre, les microbes ou les vaccins. Mais on peut dire tout simplement à un enfant qui vient de se faire une coupure : « *Tu vois, comme tu as coupé une petite veine, le sang qui passait dans la veine s'écoule au-dehors. Comme cela, il nettoie la plaie. Mais, dans le sang, il y a des petits éléments qui s'appellent les plaquettes, et qui agissent sur la coupure comme les pompiers qui viennent éteindre un feu ; ils vont boucher le trou et fabriquer une croûte. Sous la croûte, la peau se reformera et, lorsqu'elle sera prête, la croûte tombera. Pour l'instant, on va mettre un petit pansement et, moins tu toucheras à ta coupure et moins tu y penseras, plus elle guérira vite.* » Chaque soir, on peut, en changeant le pansement, montrer à l'enfant la progression de la cicatrisation, donc de la guérison.

■ Donner aux enfants l'**exemple d'une vie saine**. Il est important de leur expliquer que la manière de vivre et de se nourrir a une influence directe sur la santé. Mais comment leur interdire les sucreries quand on fume soi-même un paquet de cigarettes par jour ?

■ **Leur renvoyer d'eux-mêmes l'image d'enfants en**

bonne santé, résistants aux microbes comme aux petites douleurs, capable d'avoir une influence sur leur état physique. On y parvient avec des phrases comme :

« Tu es bien trop solide pour t'enrhumer, mais mets quand même ton gilet, tu seras mieux couvert. »

« Tu es capable de ne plus faire la sieste, mais tu te sentiras quand même beaucoup mieux lorsque tu auras dormi. »

« Ce toboggan est dangereux, mais je suis sûre que si tu fais bien attention, tu t'en sortiras. Et puis, même si tu tombes, ce n'est pas grave, tu ne te feras pas bien mal. Courageux et fort comme tu l'es ! »

« Tu t'es enrhumé, mais déjà ton corps se bagarre pour tuer les microbes. Résistant comme tu es, avec du jus d'oranges frais et une bonne boîte de mouchoirs, tu seras guéri à la fin de la semaine ! »

« Je suis fier de toi, tu t'es guéri très vite, tout seul et sans te plaindre (de ton rhume, ta coupure, etc.). *Pour te féliciter et te remercier, je vais te faire un cadeau »,...*

L E REFUS D'ALLER SE COUCHER

Il s'agit d'une situation extrêmement banale autour de l'âge de deux ans. Environ soixante-dix pour cent des enfants rencontrent un jour ou l'autre des difficultés d'endormissement! L'opposition au coucher est donc universelle et **revient périodiquement** lors de la vie de l'enfant.

La crise peut commencer dès que l'on parle d'aller au lit. Mais le plus souvent, elle débute vraiment à la fin du rituel, lorsque le parent sort de la chambre après un dernier baiser et que la séparation devient effective. Consacrer un certain temps à ce rituel est normal. Un «rappel» peut même en faire partie.

Mais il y a problème lorsque l'enfant pleure, se relève plusieurs fois, ou que **tous les prétextes sont bons** pour faire revenir l'adulte : la soif, l'ultime baiser, l'ours qui est tombé, la peur du noir, etc. Il faut ajouter que la traversée de la crise d'opposition ne rend pas les choses faciles à cet âge.

Soyons clair : vouloir passer une soirée tranquille, sans enfant, est parfaitement légitime. L'enfant **teste la résistance de ses parents, leur indécision et leur mauvaise conscience :** s'ils craignent de ne pas «en avoir fait assez», ils auront plus de mal à mettre un terme à la situation.

Pourtant, c'est cela qui rassure l'enfant : après un temps d'écoute raisonnable, pouvoir le convaincre qu'il ne craint rien à rester seul et dormir. Comprendre et sécuriser vaut toujours mieux que subir passivement, puis finir par s'énerver et faire alors preuve de trop d'autorité.

▶ Votre enfant n'a vraiment pas l'air décidé à dormir ? Il peut alors être laissé dans sa chambre ou dans son lit, avec une lampe douce et ses jouets favoris, mais **au calme et sans vous**. Il dormira quand il sentira le sommeil venir.

Il est vrai qu'un enfant actif a parfois du mal à se calmer le soir et que sa résistance au sommeil peut être stupéfiante. Aussi a-t-il besoin qu'on l'aide à trouver ses limites. Ce n'est pas à lui, à son âge, de décider de l'heure où il doit gagner sa chambre et son lit pour la nuit. Cela ne ferait qu'aggraver une tension déjà difficilement contrôlable.

C'est au parent, sans hésiter, de **fixer l'heure** et de la faire respecter. On ne peut exiger d'un enfant qu'il dorme. Mais on peut lui apprendre qu'à certaines heures chacun regagne ses quartiers et y jouit de la tranquillité.

Si ses besoins affectifs sont satisfaits et qu'il n'a pas l'impression que vous voulez vous débarrasser de lui, votre enfant admettra la situation. Encore faut-il la lui expliquer clairement.

L'expérience montre que **le père se révèle souvent plus efficace que la mère** (c'est d'ailleurs le plus souvent elle qu'il appelle) lorsqu'il va dire la loi de la maison.

Un discours affectueux mais décidé comme : « *Maintenant, c'est l'heure où les petits enfants se couchent et où les parents se retrouvent tranquillement ensemble. Tu as tout avec toi et on t'a fait beaucoup de baisers, alors tu vas rester dans ton lit, en silence et ne plus te relever. Ni ta maman ni moi ne reviendrons te voir ce soir. Je te souhaite une bonne nuit.* » Si l'enfant se relève, on le raccompagne à son lit sans un mot et les deux parents montrent bien qu'ils sont d'accord sur cette façon de faire.

Si vous **persévérez dans une attitude ferme** qui rassure l'enfant et fixe clairement des limites à ses exigences, les crises de l'heure du coucher s'atténueront d'elles-mêmes.

L'ÉTÉ : LE MOMENT DE LUI APPRENDRE LA PROPRETÉ

Les vacances d'été sont la période idéale pour enlever les couches et tenter le passage au pot : il fait chaud, vous n'avez pas besoin d'habiller votre bébé mais vous pouvez lui laisser les fesses à l'air, vous êtes ensemble toute la journée, vous n'êtes pas pressés, bref, c'est le moment.

▶ Si vous pensez que votre bébé est prêt pour ce changement, **ôtez tout simplement les couches** dans la journée, en posant le pot à proximité. **Expliquez** à votre enfant ce que vous attendez de lui. Si vous le voyez commencer à faire pipi par terre, **portez-le rapidement** sur le pot. **Félicitez-le**, sans plus, mais ne grondez jamais. La propreté viendra à son heure et les « accidents » sont sans importance.

Servez-vous de l'exemple : le vôtre ou celui d'enfants plus âgés. Tout enfant veut faire « comme les grands » et c'est un moteur puissant pour apprendre à se contrôler.

L'ENFANT DE 24 A 26 MOIS

Q UI EST L'ENFANT DE 24 A 26 MOIS ?

PERSONNALITÉ

A deux ans, l'enfant est devenu plus calme parce que plus sûr de lui. Un nouveau degré d'indépendance est acquis et il n'a plus à se battre pour le défendre. Ce nouvel équilibre permet des démonstrations d'affection plus fréquentes et une impression de **plus grand équilibre** se dégage de l'enfant.

A cette période, il est surtout intéressé par les mots et **l'apprentissage de la parole** lui prend beaucoup de son temps et de son énergie. En même temps, **il apprend à devenir propre**, ce qui se fait naturellement mais requiert néanmoins une bonne maturité tant physique qu'intellectuelle et affective.

Parce qu'on attend de lui qu'il soit «propre» (c'est-à-dire continent), **il aime se défouler en faisant des saletés**. On lui demande de se détacher de ses matières ? Il va en trouver de nouvelles à exploiter : peinture, mousse à raser, shampooing, produits de maquillage, produits à vaisselle, vont désormais s'étaler sur le sol, la moquette, les murs, les poupées, ou son propre corps.

Tout nouveau matériau est intéressant, toute nouvelle expérience bonne à prendre. Question pour les parents : comment laisser s'exprimer son esprit scientifique tout en limitant les dégâts ? Il va falloir faire preuve d'imagination.

Si le négativisme est en baisse et le caractère plus calme, **le contrôle des émotions est encore fragile**. L'enfant se donne du mal pour plaire et pour bien faire et souffre lorsqu'il n'y parvient pas. Surtout s'il est l'objet de critiques et de réprimandes.

Comment comprendrait-il que papa a droit à la mousse à raser et pas lui, que maman peut se mettre du vernis à ongles et pas elle ? Est-ce sa faute si le flacon est tombé sur la moquette blanche ? En shampouinant la moquette, il voulait seulement vous rendre service…

Le moment du coucher devient, avec parfois le repas, le moment le plus difficile à gérer de la journée. Se retrouver seul dans sa chambre lui est insupportable. Il a **peur du noir, peur des fantômes**, et ne fait pas encore très bien la part entre le réel et l'imaginaire.

Il voudrait faire durer la séparation au maximum, alors les rituels du soir n'en finissent plus. Heureusement, il est très attaché à sa peluche ou son tissu favori qui lui tient compagnie lorsque les parents ont enfin refermé la porte pour de bon.

Il n'est pas prêteur ? C'est normal à cet âge. Ce qui est *« à moi »* définit l'autonomie, rassure sur sa valeur personnelle. Vous ne lui permettez pas de toucher à ce à quoi vous tenez : il fait de même.

Peu à peu, vous lui expliquerez et il comprendra que lorsqu'on prête, on retrouve, que l'on peut aussi emprunter. Mais cela viendra plus tard, lorsqu'il se sentira assez sûr de lui pour partager.

DÉVELOPPEMENT PHYSIQUE

La marche de l'enfant est maintenant bien assurée et il tombe moins. Son développement physique tourne désormais autour de l'**acquisition de l'équilibre** et des « exploits » auxquels il se livre sur le toboggan ou la balançoire.

Les mains aussi font des progrès et permettent à

l'enfant d'accroître encore son autonomie : il peut seul se déshabiller et s'habiller de vêtements simples, il sait également se laver les dents quotidiennement. Comme il peut visser et dévisser, les robinets, les poignées de porte et les bouchons ne lui résistent plus. Il sait tourner une à une, sans les abîmer, les pages d'un livre et peut monter une tour en superposant six à huit cubes.

LANGAGE

Son langage fait de très gros progrès. L'enfant demande le nom des choses qu'il ignore et les répète pour bien les mémoriser. Sa mémoire enregistre mieux : alliée à une **curiosité** des mots très vive et à un bien meilleur niveau de **compréhension**, elle lui permet désormais d'enrichir chaque jour son vocabulaire.

La prononciation laisse souvent à désirer car les consonnes centrales des mots sont souvent avalées, et l'enfant s'énerve vite s'il doit répéter plusieurs fois la même chose sans parvenir à se faire comprendre.

Cette prononciation gagnera en clarté au fil des mois. Il n'est pas temps de s'en inquiéter. D'autant que l'enfant **s'entraîne beaucoup**, notamment lorsqu'il monologue en jouant seul avec ses poupées, ses petits personnages ou ses autos.

▶ On peut aider un enfant de cet âge à accroître son vocabulaire et à améliorer son langage en discutant souvent avec lui. **Il faut lui laisser le temps** de s'exprimer, même si c'est difficile, et **lui expliquer le monde qui l'entoure** avec des phrases simples. Ne pas seulement lui indiquer le nom des choses mais aussi à quoi elles servent ou comment elles marchent. **Lui fournir les mots**

précis : non seulement un chien, mais un épagneul ou un cocker, non seulement une fleur, mais une rose ou une marguerite, etc.

SOCIABILITÉ

L'enfant de deux ans est devenu un être social complexe et à part entière. Même si ses jeux se déroulent encore plus en parallèle avec les autres enfants qu'en réelle interaction, **il tire plaisir à être avec des copains de son âge.** Il développe des amitiés dont certaines se prolongeront sur des années. Il imite fréquemment les autres enfants, leurs jeux et communique avec eux de façon beaucoup plus fine.

Dans ses rapports avec les adultes, il a appris l'essentiel : comment on leur fait plaisir, comment on les met en colère, comment on attire leur attention. Il sait exprimer de manière adéquate et fine ses humeurs et ses émotions, ses désirs et ses refus.
Il aime toujours la compagnie des adultes et ne demande pas mieux que de s'intégrer à leurs activités : aider aux tâches ménagères ou au bricolage (profitez-en, cela ne dure généralement pas !).

JEUX ET JOUETS

Les garçons, plus que les filles, ont une véritable **passion pour tout ce qui roule.** Certains ne se séparent jamais d'une petite voiture qu'ils font glisser, où qu'ils soient, sur les murs, le sol, le lit ou le trottoir, en l'accompagnant du « vroum-vroum » caractéristique du moteur. Mais ils aiment tout autant les vrais tricycles, les vélos, les chariots, les poussettes ou les brouettes.

Les filles, plus que les garçons, deviennent à cet âge particulièrement **coquettes**. Perchées sur les chaussures à talons de leur mère, elles se font des mines devant le miroir. Elles veulent des petites robes à volants, des petits nœuds dans les cheveux et recherchent les compliments de leur père pour s'assurer de leur charme et de leur séduction.

Tous aiment **se déguiser**, en chat, en clown, en princesse, en cow-boy ou tout simplement en grande personne.

Enfin, ils adorent qu'on leur lise et leur relise des **histoires qui reflètent leur vie** de tous les jours : l'histoire du petit ours qui ne voulait pas se coucher, l'histoire du petit lapin qui avait peur du noir ou celle du petit canard qui ne savait pas nager.

Si vous avez un peu d'imagination, n'hésitez pas à en inventer : vos histoires seront les plus passionnantes, car elles intégreront vraiment des éléments du vécu de l'enfant, elles seront adaptées à son vocabulaire et évolueront au rythme de son intérêt.

L ES DANGERS DOMESTIQUES

Traditionnellement, la maison est un lieu où l'on se sent en sécurité, à l'abri des dangers du monde extérieur. Malheureusement, les choses ne se passent pas réellement ainsi et le foyer est, pour l'enfant, un lieu de grands dangers. La maison dangereuse, celle où l'on se blesse, existe aussi.

Entre un et quatre ans, intoxications, chutes, brûlures et noyades sont si fréquentes qu'elles sont devenues un problème majeur de santé publique. Ces accidents dont sont victimes les jeunes enfants ne sont pas « la faute à pas de chance » : **nous sommes tous responsables**. Sinon, comment expliquer que la France détienne le triste record du taux d'accidents domestiques ? Le taux de décès accidentels pour mille enfants de un à quatre ans est de 17,9 en France alors qu'il est de 12,5 aux Pays-Bas et de 11,5 en Grande-Bretagne.

Un travail d'information important doit être fait et chacun doit être alerté des risques que les jeunes enfants courent.

LES FAITS ET STATISTIQUES

Chaque jour, en France, trois enfants entre un et neuf ans meurent dans un accident. Dans la tranche d'âge de un à quatre ans, il s'agit de la première cause de mortalité. La moitié de ces accidents sont dits « domestiques », c'est-à-dire qu'ils surviennent au foyer.

Les accidents n'entraînant pas la mort (mais laissant parfois des séquelles graves) sont mille fois plus nombreux. Environ un enfant de moins de cinq ans sur vingt consulte pour accident domestique. Quatre-vingts pour cent des cas sont des **traumatismes** (chocs, chutes), onze pour cent des **intoxications** et huit pour cent des **brûlures**.

LES CAUSES ET LES FACTEURS DE RISQUE

De nombreuses études ont été faites dans le but de comprendre mieux cette réalité très complexe qu'est le grand nombre d'accidents domestiques et d'en analyser les raisons. Il apparaît clairement qu'un accident n'arrive pas à n'importe qui ni n'importe quand. Certains facteurs sont liés à l'enfant, d'autres à son environnement.

■ Le comportement de l'enfant est déterminant : entre un et cinq ans, mais plus particulièrement encore **vers deux, trois ans, l'enfant traverse une phase de développement moteur intense**. Il va partout, il grimpe, il escalade. Il aime l'aventure et la découverte. Sa curiosité le pousse à vouloir tout essayer, tout explorer. La fascination qu'exercent sur lui les objets et les lieux interdits est liée au désir de faire « comme les grands ». Son caractère plutôt opposant favorise la provocation : il ne respecte les interdits que très approximativement.

En face de tout cela, il manque encore trop de maturité pour prendre conscience des risques qu'il prend. Les chiffres nous indiquent que les accidents touchent plus fréquemment les garçons que les filles, et de préférence les enfants anxieux et hyperactifs.

■ Les facteurs de l'environnement sont eux aussi très importants. Environnement familial d'abord : le **climat affectif** est déterminant, ainsi que les **réactions parentales** face aux dangers et le **niveau de surveillance** de l'enfant. On sait maintenant que beaucoup d'accidents surviennent dans une situation de «présence-absence» des parents : ils sont là, mais inattentifs car occupés ailleurs (au téléphone, avec un autre enfant, etc.). L'accident peut alors être entendu comme un mode d'appel, qui n'enlève rien au défaut de surveillance.

Mais **l'environnement matériel** compte également : la maison est-elle équipée pour qu'y vive sans danger un jeune enfant ? Les parents ont-ils fait le tour de la maison en prenant soigneusement toutes les mesures possibles pour minimiser les facteurs de risques ? Ont-ils bloqué l'accès à la terrasse, mis hors d'accès les produits dangereux, rendues inaccessibles les prises de courant ?

Les parents ont, pour résumer, deux façons complémentaires d'agir pour protéger leur enfant : aménager l'espace et l'éduquer au danger.

AMÉNAGER L'ESPACE

Quand on vit avec un jeune enfant, le souci de la sécurité doit être une préoccupation permanente. Il est impossible de fournir ici une liste exhaustive de tout ce qui peut être dangereux dans une maison : à chacun de parcourir les pièces de sa maison en se posant toutes les questions nécessaires.

Il peut être utile, néanmoins, de préciser que **sept accidents sur dix ont lieu dans la cuisine** (un tiers sont des intoxications) **et deux sur dix dans la salle de bain** (intoxications, brûlures, chutes).

► Les parties basses de ces pièces sont évidemment celles auxquelles l'enfant a le plus facilement accès. Aussi faut-il **mettre en hauteur** les produits d'entretien, les ustensiles tranchants, les objets cassables.

Il faut être vigilant en ce qui concerne les **fils** et les

prises électriques. Les brûlures peuvent venir de la porte du **four** ou des **plaques** électriques, mais également de la chute d'une **casserole** dont l'enfant aura tiré le manche.

Dans la salle de bain, le risque principal vient des **médicaments** qui doivent absolument être rangés sous clé. Mais les chutes ou les glissades dans la **baignoire**, ainsi que les brûlures et les hydrocutions sont également fréquentes.

D'autres lieux de la maison sont également dangereux. Pensez à la **boîte à couture** qui traîne par terre, avec ses ciseaux et ses aiguilles, aux **produits de jardin**, au **lit** qui se trouve sous la fenêtre, aux **appareils de chauffage** en mauvais état, aux **plantes vertes** qui sont de vrais poisons, sans oublier les **sacs en plastique** (qui peuvent étouffer s'ils sont mis sur la tête) et les **cacahuètes** (qui peuvent obstruer la trachée artère). Si vous avez un jardin et un garage, vous savez que les risques existent là également.

Toute la maison ne peut être parfaitement sûre, mais essayez au moins que la chambre de l'enfant le soit : pas de prise sans cache-prise, pas d'angle vif, pas d'escalade dangereuse, etc. Ainsi, quand vous êtes occupé ailleurs, il y a toujours **un endroit où votre enfant peut jouer sans risque** en vous attendant. Pour le reste, vos précautions seront toujours insuffisantes. Aussi faut-il, en parallèle, éduquer l'enfant au danger et aux risques.

L'ÉDUCATION AU DANGER

On a vu que tous les enfants ne prennent pas les mêmes risques, que tous ne font pas les mêmes bêtises, et que l'attitude éducative des parents était déterminante. Voici quelques pistes qui peuvent vous permettre de réfléchir.

■ Il faut **être très net** quand on signifie un interdit de danger à un enfant. Il doit bien comprendre qu'il ne s'agit pas de vous faire plaisir, comme dans les interdits de confort, mais d'un risque réel pour lui. Dire *« non »* ne suffit pas : il faut **expliquer** pourquoi cette chose est interdite, le dire avec des mots simples et ne pas craindre de le répéter.

A certains enfants, cela ne suffira pas encore : *« Le feu brûle »* est une assertion qui demande à être vérifiée. Si vous êtes présent et si vous avez averti clairement votre enfant du risque encouru (et mesuré), laissez-le vérifier. Pour une peine minime, il aura appris que vous dites vrai et votre prochain avertissement portera davantage.

■ Vous ne pourrez pas toujours tenir votre enfant éloigné des couteaux, des ciseaux, des appareils électriques, etc. Aussi une attitude éducative préventive consiste-t-elle à **apprendre à l'enfant à se servir des choses plutôt que de toujours les tenir cachées**. Cela doit se faire en fonction de son âge et de sa maturité, et bien entendu en présence de l'adulte tant que la maîtrise n'est pas acquise.

■ **Quand un petit accident survient**, que votre enfant se coupe ou se brûle légèrement, qu'il tombe après avoir pris un risque mal calculé, il est préférable, plutôt que de se fâcher, d'**expliquer à l'enfant ce qui s'est passé** et en quoi le risque encouru était trop grand. On conclut en lui montrant comment il aurait pu aboutir au même résultat de façon plus sûre, ce qui est une manière de responsabiliser l'enfant et de lui témoigner sa confiance.

■ Enfin **l'enfant doit vite comprendre que les règles de sécurité sont les mêmes pour tous** et que ce n'est pas pour le brimer que vous lui interdisez de jouer avec le fer à repasser ou le couteau de cuisine. Un adulte qui manie maladroitement un couteau se coupe et saigne aussi. S'il tombe, il a mal.

Attirez l'attention de votre enfant sur les précautions que vous prenez dans votre vie quotidienne afin de vous prémunir contre les dangers : cette éducation-là aussi se fait par l'exemple.

L A TAILLE A DEUX ANS

Il est courant d'entendre dire que l'on peut connaître la taille adulte d'un enfant en doublant sa taille à l'âge de deux ans. Cette règle est fausse. Les statistiques montrent que **les garçons atteignent la moitié de leur taille adulte autour de vingt-cinq mois, les filles autour de seize mois**. Mais, là encore, rien n'est joué car à cet âge la courbe de croissance n'est pas encore stabilisée.

Il en sera autrement plus tard, lorsque la pente suivie sera installée dans un «couloir» dont elle bouge rarement. Mais, même alors, des facteurs importants interviennent dans la future taille de l'enfant comme son âge osseux ou encore l'âge auquel surviendra la puberté.

Si la composante héréditaire est souvent déterminante, il ne faut pas oublier que, d'une génération à l'autre, les enfants sont statistiquement plus grands que leurs parents.

UN REPAS QUI PLAIT AUX ENFANTS

Posez sur la table familiale une **quantité inhabituelle de petits plats**, petits restes, crudités, viandes froides, fromages, fruits, etc. Seulement des bonnes choses, appétissantes, colorées et variées.

Chacun se sert de ce qu'il aime, en prend la quantité qu'il veut, dans l'ordre qu'il veut. Comme **l'enfant se sert seul** et ne prend que ce qu'il veut manger, personne ne contrôle son repas ni ne contraint ses choix.

L'enfant est ravi et **mange généralement davantage et de meilleure grâce** que lors d'un repas servi normalement. Si bien que tout le monde est content.

L A PROPRETÉ DE NUIT

La propreté pendant le sommeil, à la sieste, puis la nuit, survient **quelque temps après la propreté de jour**. Parfois, elles sont presque simultanées, parfois, plusieurs mois les séparent. Ce que vous pouvez faire pour l'apprendre à votre enfant ? Rien. Faites-lui confiance et montrez-vous détendu par rapport à cet apprentissage.

Quand votre enfant sera prêt, vous constaterez que les couches sont sèches le matin. Avec son accord, vous pourrez alors les supprimer. Se réveiller la nuit et se lever pour aller uriner demande déjà un bon niveau de maturité. Quant à passer une nuit sans avoir besoin de se relever, cela nécessite que la vessie ait une taille suffisante. Rien sur quoi vous puissiez agir.

Inutile de priver votre enfant de boisson le soir. Cette technique est cruelle et sans effet (ce qui ne veut pas dire non plus qu'il doive boire trois grands verres d'eau avant de se coucher). Certains parents trouvent pratique de réveiller à moitié leur enfant vers vingt-trois heures et de le conduire à ce moment-là aux toilettes. Si l'enfant est d'accord, c'est une solution qui peut l'aider. Mais la propreté de nuit ne sera acquise que lorsqu'il sera capable de se réveiller seul.

▶ Vous pouvez faciliter les choses pour votre enfant :
— en lui mettant **un pyjama facile à baisser**,
— en laissant **une veilleuse allumée** dans sa chambre,
— en mettant **un pot à côté de son lit**.

Bien des enfants, en effet, ne sont pas encore propres la nuit à un âge où ils le pourraient, simplement parce qu'ils ont peur de traverser le couloir dans le noir.

■ Comme lorsque la propreté de jour s'est installée, il va y avoir des accidents. Avec **une bonne alèse et un lave-linge**, cela ne mérite pas un drame. Apprenez simplement à votre enfant à enlever ses draps et à les déposer, avec son pyjama, dans le panier à linge sale. Il ne s'agit pas du tout de lui imposer une punition, soyez très clair là-dessus, mais de lui donner la responsabilité de son corps.

■ **N'ôtez pas les couches trop tôt.** Se réveiller chaque matin dans un lit mouillé et froid est dur pour le moral et plutôt décourageant. Inutile de vivre cela trop longtemps.

■ **Inutile tout autant de vous fâcher :** dites-vous bien qu'il dormait quand il a fait pipi. Donc il ne l'a pas fait exprès. Lui aussi aimerait mieux se réveiller. Il a besoin de vos encouragements et de votre patience. Vous pouvez lui dire quelque chose comme : « *Ce n'est pas grave, quand tu seras prêt, quand ton corps et ta tête le décideront, tu seras propre la nuit. Tu verras, cela viendra tout seul. Cela n'a aucune importance, en comparaison de tout ce que tu es déjà capable de faire.* »

L'AMBIANCE DES REPAS

A partir de deux ans, un peu avant ou un peu après selon son comportement et les habitudes familiales, l'enfant **peut partager les repas de ses parents** et s'asseoir à table avec eux.

Son régime ne mérite plus qu'on lui fasse un menu spécial. Même si certains plats ne lui conviennent pas très bien, il peut goûter à tout sans problèmes. Il se peut même qu'à cette occasion, un enfant qui semblait avoir peu d'appétit se mette à manger de façon beaucoup plus régulière et satisfaisante pour ses parents.

Mais un repas classique, a fortiori un repas de fête, avec la famille élargie ou au restaurant, peut lui sembler bien long. **Il ne paraît pas raisonnable de lui imposer de rester sagement à table** d'un bout à l'autre du repas, sauf à vouloir prendre le risque de conflits quasi inévitables.

Le partage des repas familiaux n'est possible quotidiennement que si l'emploi du temps de chacun le permet. En effet, **votre enfant a encore besoin d'une grande régularité dans ses horaires** et ne peut attendre pour se mettre à table que la famille au complet soit rentrée du travail, si ces retours ne sont pas réguliers.

Régularité et calme sont la base des repas pris dans de bonnes conditions. Chacun se retrouve autour d'un plat pris en commun après une longue journée de séparation. Ce moment est important pour votre enfant. Aussi :

■ **N'en faites pas un moment de tensions** et de règlements de comptes, ni avec lui ni entre vous. Ne le réprimandez pas sans arrêt parce qu'il mange salement ou qu'il ne finit pas sa soupe. C'est le plus sûr moyen de lui couper l'appétit et de transformer pour tout le monde le moment des repas en une épreuve. Le plaisir d'être ensemble doit passer avant tout.

■ **Le téléviseur et la radio**, s'ils sont allumés et captent l'attention des uns et des autres, **ne favorisent pas la communication**. Votre enfant a le désir de vous raconter sa journée, d'échanger avec vous. Il lui en faut le temps, peut-être a-t-il besoin d'être sollicité.

Ces moments conviviaux où toute la famille se réunit sont d'une grande valeur pour l'avenir et il serait dommage de ne pas en tirer parti. N'oubliez pas que si venir à table est un plaisir pour votre enfant, il y a peu de risques qu'il ait des problèmes d'alimentation.

L ES RÉVEILS NOCTURNES

Tel enfant se réveille toutes les nuits, en proie à des frayeurs, et vient les apaiser dans le lit parental. Tel autre, depuis des mois, appelle plusieurs fois par nuit et ne se calme qu'avec un verre d'eau et un gros câlin.

Ajoutez à cela une mère épuisée, un père irrité (ou l'inverse), des voisins qui cognent au mur, et vous comprendrez pourquoi, en pédiatrie comme en psychologie du jeune enfant, dix à vingt pour cent des consultations concernent les troubles du sommeil. Ces chiffres sont d'ailleurs en constante augmentation : on estime que quarante pour cent environ des enfants de deux ans se réveillent au moins une fois par nuit.

On peut dès lors légitimement se demander quelle est l'influence des **conditions de la vie moderne**, stress, surmenage, bousculade, manque de disponibilité, irritabilité, sur cet état de fait.

Lorsque les parents consultent, le problème est souvent déjà bien installé. Autant **l'enfant semble gai, actif et en bonne santé**, autant **les parents sont visiblement épuisés** et à bout de résistance. Les réveils bruyants qui se répètent nuit après nuit usent terriblement les nerfs des parents et l'exaspération ne fait que renforcer les difficultés de sommeil de l'enfant. Il n'est pas facile d'échapper à un tel cercle vicieux qui se met parfois en route de manière très précoce.

LES CAUSES D'INSOMNIE

Lorsque l'on parle de réveils nocturnes, l'attitude sensée consiste d'abord à s'assurer qu'ils n'ont pas de raison médicale ou externe.

Des **maladies aiguës** (comme une otite séreuse ou une infection urinaire) ou chroniques peuvent passer inaperçues mais justifier, par la douleur, le réveil de l'enfant. Il en est de même pour une **difficulté respiratoire** passagère (nez encombré) ou une période d'**éruption dentaire**.

Mais des éléments de l'environnement peuvent aussi jouer un rôle déterminant : si **l'air de la chambre** est trop sec ou trop chaud, l'enfant peut se réveiller parce qu'il a soif ou qu'il transpire. **Le bruit** (télévision, voisin, voitures dans la rue) peut également troubler le sommeil d'un enfant.

Mais il ne faut pas se bercer d'illusions : toutes ces causes sont relativement rares et la grande majorité des problèmes de sommeil durables sont d'origine **psychologique**. Ce n'est pas un traitement ou un sirop qui en viendra à bout, mais une réflexion aboutissant à un changement dans les habitudes éducatives.

Le sommeil de certains enfants est fréquemment troublé par une autre cause : **les cauchemars** ou **les réveils nocturnes**. Le cas est un peu différent, car l'enfant pleure mais il ne se réveille pas forcément. Il est pris par la peur et a besoin d'être rassuré. Là encore, la cause est psychologique, et nous y reviendrons dans un chapitre suivant.

L'ORIGINE DES RÉVEILS

Les raisons du réveil sont sans doute, dans le détail, aussi nombreuses qu'il y a d'enfants, mais on peut malgré tout trouver des points communs ou fréquents.

■ L'enfant **n'aime pas être séparé de ses parents** la nuit. Il est à la fois jaloux de leur intimité et désireux de ne pas laisser passer tant d'heures sans les voir. Il ne comprend pas, spontanément, pourquoi l'on pourrait être ensemble la journée mais que l'on devrait être séparés la nuit. Les habitudes anciennes où toute la famille partageait la même pièce lui conviendraient tout à fait.

■ Le sommeil est composé d'une succession de cycles où alternent sommeil profond et sommeil plus léger. Sans entrer dans les détails, disons que **l'enfant, en sommeil léger, est au bord du réveil**. L'enfant qui a un bon sommeil replonge spontanément et sans aide extérieure dans le cycle de sommeil suivant.

Certains enfants se réveillent tout à fait à ce moment-là, mais bavardent calmement sans déranger personne, puis se rendorment. Dans ce cas, les parents, qui entendent leur enfant babiller ou grogner, ne doivent absolument pas intervenir, car cela laisserait penser à l'enfant qu'il peut, chaque nuit, faire venir ses parents.

Enfin d'autres enfants se réveillent au cours de cette phase et en profitent pour appeler, pleurer ou se lever. Dans ce cas, il est bien difficile de ne pas intervenir.

On peut donc dire que se réveiller légèrement la nuit est normal, mais qu'appeler, se lever ou réveiller le reste de la famille ne l'est pas.

■ Il arrive que l'origine des troubles remonte à une **maladie banale** comme une rhino-pharyngite. L'enfant, respirant mal, se réveille la nuit. Ses parents décident, pour ces quelques jours, de le garder dans les bras et de le rendormir doucement en le berçant. Mais, une fois la maladie finie, l'habitude est prise et l'enfant ne voit pas pourquoi il se passerait du plaisir de voir ses parents la nuit. Le besoin de voir ses parents dure de plus en plus longtemps, puis se reproduit deux heures plus tard et il faut tout recommencer. Tout le monde est épuisé.

L'ENFANT DANS LE LIT DE SES PARENTS

De nombreux enfants qui se réveillent la nuit, plutôt que d'appeler, préfèrent venir se glisser dans la rassurante chaleur du lit parental. De nombreux parents, plutôt que de se réveiller et de reconduire l'enfant dans son lit, préfèrent lui faire une petite place. Cela est encore plus fréquent et plus tentant lorsque le parent est seul dans son lit. Chacun son choix. Ces choses-là se produisaient fréquemment autrefois et se pratiquent encore dans d'autres pays. Aujourd'hui, elles ne sont plus culturellement admises dans les pays occidentaux.

Il faut savoir que, si la démarche de l'enfant réussit, et qu'il est accueilli pour la nuit dans le lit parental, elle se reproduira les nuits suivantes. C'est fou comme **l'enfant considère vite comme des habitudes les exceptions qui lui conviennent** ! En revanche, si sa démarche échoue nettement et fermement, elle cessera.

Aux parents de savoir s'ils sont plus gênés d'avoir leur enfant dans leur lit ou de le renvoyer, en le rassurant, dans la solitude du sien. Un cas particulier peut être fait des suites de cauchemars, où l'enfant vient se glisser contre l'un de ses parents pour lutter contre les fantômes de la nuit, mais nous y reviendrons.

Dans le cas habituel, il est vivement recommandé, dès le plus jeune âge de l'enfant, d'installer son lit dans une autre chambre que celle de ses parents. Mais comment réagir si, plus grand, il se glisse dans le lit parental au milieu de la nuit ? **Dire non, fermement non**, si cela se reproduit régulièrement et entraîne le départ de l'un des parents qui, pour faire de la place à l'enfant, s'en va dormir ailleurs, sur le divan du salon ou dans le lit, désormais libre, de son enfant.

LES ATTITUDES A ÉVITER

Tous les parents expriment clairement leur souhait : que leur enfant « fasse » des nuits entières et qu'ils puissent, eux aussi, dormir enfin toute la nuit d'une traite. Mais les choses que l'on fait inconsciemment ne sont pas si simples et ne mènent pas forcément là où l'on souhaite aller. C'est ainsi que certains comportements parentaux ouvrent la porte à des troubles du sommeil ou simplement permettent qu'ils durent. En voici quelques-uns qu'il vaut mieux éviter.

☐ **Menacer régulièrement l'enfant du lit** comme d'une punition **et le coucher en vitesse**, le soir, comme pour s'en débarrasser.

☐ Devenir l'esclave de ses insomnies et **se mettre à sa disposition à toute heure de la nuit**. Tant que l'enfant trouvera des avantages à se réveiller et à appeler, il le fera. Et le plus clair, le plus évident, de ces avantages, est évidemment de passer du temps avec sa mère, même si elle râle. C'est donc le premier avantage qu'il faudra supprimer.

☐ **Changer d'attitude chaque nuit** face à ses réveils nocturnes. Une nuit, les parents se fâchent, une autre ils se lèvent, une troisième, par lassitude, ils laissent l'enfant se glisser dans leur lit. L'enfant ne sait pas à quoi s'attendre, alors, à tout hasard, il tente sa chance.

☐ **Aggraver le problème avec des désaccords parentaux.** L'un est partisan de la tolérance, l'autre de la fermeté. L'enfant aurait tôt fait d'agrandir cette brèche et de transformer un moment pénible en un conflit généralisé ! Mieux vaut discuter de la conduite à tenir dans la journée, au calme, et s'y tenir, plutôt qu'à deux heures du matin quand tout le monde est bien fatigué et au bord de craquer.

☐ Quand un enfant se réveille exceptionnellement, aller

le voir et **le prendre dans ses bras ou le lever.** Mieux vaut tout simplement poser doucement sa main sur lui et le rassurer de la voix.

☐ **Inclure dans le rite du sommeil un élément qui rend le parent indispensable.** Par exemple, l'enfant habitué à s'endormir en tenant la main de sa mère aura de nouveau besoin d'elle pour se rendormir s'il se réveille la nuit. Mieux vaut un rituel qui se termine lorsque l'enfant est encore éveillé, afin qu'il apprenne ainsi à s'endormir seul dans son lit.

☐ **Donner des sirops** en pensant ainsi avoir la paix. C'est une solution de facilité qui ne s'attaque aucunement aux racines du problème (voir le chapitre suivant). En revanche, il peut être parfois utile, et même efficace, que la mère, elle, prenne un somnifère et mette dans ses oreilles des boules qui l'isoleront des bruits extérieurs !

☐ **Vouloir à tout prix que son enfant dorme :** c'est impossible. Mais on peut lui enseigner le calme, l'autonomie et la tranquillité, ce qui est bien suffisant pour que les parents, eux, dorment correctement.

▌ QUE FAIRE ?

Voici maintenant quelques conseils de bon sens qui vous permettront peut-être de mieux comprendre votre problème. Dans le cas contraire, n'hésitez pas à vous faire aider par quelqu'un d'extérieur.

■ **Interrogez-vous** sur le plaisir que vous trouvez vous-même, au-delà de la fatigue, à voir votre enfant la nuit, le bercer, jouer avec lui. Beaucoup de parents, privés de leur enfant la journée, trouvent qu'au fond ces heures de nuit ont quelque chose de très doux.

■ **Quel enfant étiez-vous ?** Si vous étiez vous-même un

enfant au sommeil difficile, il est bien possible que vous transmettiez à votre insu un message du style : *« C'est normal que mon fils* (ma fille) *ne dorme pas la nuit, puisque j'étais pareil étant petit. »* L'enfant ressent cela et sait, qu'au-delà des apparences, il vous fait plaisir en vous ressemblant.

■ **Profiter de la journée** pour donner à son enfant tout l'amour et l'attention dont il peut avoir besoin. Ainsi il a moins besoin d'appeler la nuit. Et les parents ont la conscience tranquille pour ne pas lui répondre.

■ Profiter également de la journée pour discuter et **mettre au point une stratégie à appliquer la nuit**, en tâchant de s'y tenir.

■ Ne pas négliger le **rituel de mise au lit** et bien confier à son enfant ses peluches, ses tétines et ses doudous. Puis lui faire clairement comprendre qu'on ne se reverra que le lendemain.

▶ Le jour où vous aurez vraiment décidé de faire cesser ces réveils nocturnes et que vous vous sentez la force de ne plus répondre aux appels, voilà comment vous y prendre.

■ Expliquez à votre enfant que maintenant c'est fini et que la nuit c'est fait pour dormir. Comme vous le lui avez déjà dit cent fois, il ne vous croira pas sur le moment.

■ Lorsqu'il se réveille, laissez-le pleurer un moment, puis levez-vous et expliquez-lui de nouveau les nou-velles règles : *« Fais ce que tu veux au calme dans ton lit, c'est ton problème, mais laisse-nous dormir. Prends ton doudou, enfouis ton visage dedans : il te tiendra compa-gnie à notre place. C'est fini, nous ne serons plus dispo-nibles la nuit. »* Retournez vous coucher. S'il pleure encore, recommencez, si possible sans vous lever, de la voix simplement.

■ Envoyez le père expliquer fermement mais gentiment : *« Ta mère se repose, elle dort, alors elle ne viendra pas te voir maintenant. Je comprends tout à fait que tu aies du mal à l'accepter. Mais elle passe ses nuits avec moi, pas avec toi. Moi-même, c'est la dernière fois que je me relève. Nous te retrouverons demain matin avec beaucoup de plaisir. Maintenant, bonne nuit. »*

Veillez ensuite à ne pas revenir sur ce que vous avez dit, même si le temps des pleurs vous semble bien long. Ce temps sera plus court demain, et encore plus court après-demain.

Le seul secret de la réussite tient en trois points :

■ **Vous êtes sûrs de vous et de votre choix.**

■ **Vous êtes d'accord entre vous.**

■ **Vous maintenez nuit après nuit la même attitude affectueuse, mais catégorique.**

L ES SIROPS CALMANTS

La demande des parents pour obtenir du médecin qu'il prescrive un médicament miracle qui va résoudre une bonne fois les problèmes de sommeil chroniques de leur enfant est souvent pressante. Malheureusement, **un tel médicament n'existe pas**.

Les sirops existants masquent les troubles, mais ne les résolvent aucunement car ils n'en soignent pas la cause. Par leur action, ils perturbent le déroulement naturel du sommeil. De plus, ils entraînent parfois des effets paradoxaux où l'enfant s'excite encore davantage pour lutter contre le sommeil qui lui est imposé.

Parce que les sirops sont faciles d'emploi et les troubles du sommeil particulièrement éprouvants, les parents sont tentés d'augmenter les doses quotidiennes : une habitude néfaste s'installe, dont il sera difficile de se défaire et dont on connaît mal les effets à long terme.

▶ Pourquoi ne pas plutôt utiliser le pouvoir calmant de certaines plantes ? En tisane ou en infusion, vous pouvez donner à boire à votre enfant **du tilleul, de l'oranger** ou **de l'aubépine**. A essayer également : **valériane**, teinture de **passiflore** et eau de fleur d'oranger, à raison d'une vingtaine de gouttes dans un demi-verre d'eau chaude sucrée.

Mais la seule solution réellement efficace consiste à **comprendre ce que signifie le trouble du sommeil** et à modifier ce qui doit l'être dans la vie de l'enfant.

L E BROSSAGE DES DENTS

Autour de deux ans, vous pouvez offrir à votre enfant le matériel dont il aura besoin pour se laver les dents tous les soirs avant de se coucher. **Un dentifrice pour enfants, un verre à dents en plastique et une brosse**. Celle-ci doit être petite (brosse pour enfants), souple et aux poils en nylon.

Une fois que vous aurez expliqué à votre enfant comment s'y prendre, vous pourrez le laisser se débrouiller seul. L'important est de **bien lui en faire prendre l'habitude**, par exemple en l'intégrant au rituel du coucher. Une fois la bouche rincée, vous pouvez lui donner à sucer un comprimé de fluor, qui est une bonne prévention des caries.

Progressivement, **vous expliquerez à votre enfant l'importance qu'il y a à ne plus manger après s'être lavé les dents.** Il apprendra aussi que certains aliments sont bons pour ses dents, comme les légumes et les fruits crus, alors que d'autres sont mauvais, comme le sucre, les bonbons, les sirops, les sodas ou la confiture.

S EUL DANS SA CHAMBRE ?

La chambre de l'enfant est, par excellence, le théâtre où se jouent **les peurs**, **les fantasmes**, **les rêves** plus ou moins bienveillants. Pas étonnant que s'y développent, dans certains cas, des insomnies rebelles et des appels au secours à répétition.

Dans les temps plus anciens et jusqu'aux débuts du vingtième siècle, il eût été inconcevable, et souvent impossible, de séparer un jeune enfant du reste de la famille. Les chambres étaient communes et les lits également. Chaque enfant partageait le sien, d'abord avec un adulte (un aïeul par exemple), puis avec un membre ou deux de sa fratrie. La solitude était considérée comme néfaste pour le jeune enfant : on savait les craintes nocturnes que sorcières et loups-garous pouvaient engendrer et on les respectait.

Aujourd'hui, au contraire, il est une idée reçue qui dicte l'attitude de bien des parents dans l'aménagement de leur maison : il faut que chaque enfant ait sa chambre. Quitte à ce que les parents, eux, dorment dans le salon. Dès ses premiers mois, souvent, l'enfant dispose d'une chambre personnelle où il dort seul. On le veut autonome très tôt, négligeant parfois au profit de cette autonomie ses besoins de sécurité, de chaleur humaine et de réassurance.

Pourtant, si l'on interroge des frères et sœurs un peu plus âgés, on s'aperçoit qu'**ils préfèrent souvent rester ensemble**. C'est vrai dans presque tous les cas, mais cela l'est d'autant plus qu'ils sont de même sexe et proches en âge.

Partager la même chambre présente de nombreux avantages :

— cela aide à lutter contre les démons de la nuit;
— cela apprend à négocier, à faire de la place à l'autre, à être solidaires et complices;
— cela double la quantité de jouets disponibles;
— cela augmente la complicité entre les enfants;
— cela impose à chacun l'apprentissage du respect de l'autre, de ses affaires personnelles et de ses secrets.

S'endormir en chahutant sous les draps et se réveiller à côté de celui qui a partagé son sommeil est une bonne façon de commencer et de finir sa nuit. Les adultes qui vivent en couple le savent bien !

Les jeunes enfants choisissent presque toujours de dormir en laissant la porte de leur chambre entrouverte: cela montre assez à quel point ils ont besoin de se sentir reliés au reste de la famille, à tout ce qui continue de vivre et de respirer.

Bien sûr, il y a la question des enfants uniques, qu'aucun frère ni aucune sœur ne peut venir rassurer pour l'instant. Il y a des solutions : **peluches**, **veilleuses**, aménagements divers.

Il y a des parents d'enfant unique qui refusent de laisser **l'animal familier** dormir avec leur enfant, alors que celui-ci dispose d'un lit ou d'une chambre de tailles suffisantes, au nom de quelques principes d'hygiène ou d'éducation. Pour ce qui est de l'enfant, il est certain qu'il se sentirait plus en sécurité et donc moins la proie des angoisses de la nuit avec son animal familier, son copain de jeux, au pied de son lit.

D'autres parents craignent, si deux ou trois de leurs enfants partagent la même chambre, que cela engendre un nombre important de conflits, liés au non-respect de l'espace de chacun.

▶ Une bonne idée consiste à ce que chaque enfant partageant la chambre ait **un coin à lui** (bureau, étagère ou tiroir), inaccessible aux autres (par respect ou par clé). On peut aussi séparer la chambre par **une cloison symbolique** : étagères ou store coulissant, ou encore construire **une mezzanine**.

Pourquoi séparer des enfants qui préfèrent rester ensemble dans la chaleur, même conflictuelle, de la fraternité ? A cet âge, ils ne sont pas demandeurs de solitude mais de vitalité. Vous avez autant de chambres que d'enfants ? Transformez-en une en salle de jeux…

L'ENFANT

DE

27

A

29

MOIS

QUI EST L'ENFANT DE 27 A 29 MOIS ?

PERSONNALITÉ

C'est avant tout un enfant affectueux et agréable, beaucoup plus facile à comprendre et à élever qu'au cours des trimestres précédents. **Il aime rendre service**, même si ses initiatives ne sont pas toujours heureuses. C'est un être d'habitudes : **il s'appuie sur la routine** pour développer sa confiance en lui et se forger une image rassurante du monde.

S'il est moins provocateur et désobéissant, c'est **qu'il commence à intégrer les règles de la vie de groupe**. Il les fait siennes au point de les faire appliquer à ceux qui ne les respectent pas. Il peut facilement expliquer à un autre enfant qu'on ne déchire pas les livres et à son père qu'il doit boucler sa ceinture de sécurité ou que c'est mal de faire tomber un verre.

C'est le début de l'autodiscipline : l'enfant connaît les lois de base, se les répète et tente de les appliquer et de les faire appliquer. Il a compris, et cela éclaire sa vision du monde, que les règles n'ont pas été inventées pour l'embêter lui, mais qu'elles sont les mêmes pour tous. Il commence à intégrer le fait qu'il n'est pas le centre du monde mais un membre d'une communauté.

Son intelligence conceptuelle fait un grand bond : il est désormais capable de classer des objets par couleurs ou par formes, d'ordonner et de dénombrer quelques éléments. Cette **intelligence logique**, il va la mettre au service de ses explorations. Agissant tantôt comme un détective, tantôt comme un scientifique, il passe beaucoup de son temps à chercher, fouiller, démonter, explorer.

Il est bon de mettre à sa disposition des objets qu'il peut facilement explorer si on ne veut pas qu'il s'en prenne au mécanisme interne du réveil ou au fonctionnement du mixer. Il aime savoir «comment ça marche» : pourquoi ne pas, chaque fois que c'est possible, le lui expliquer ? De grandes vocations scientifiques naissent peut-être ainsi…

DÉVELOPPEMENT PHYSIQUE

Les capacités physiques augmentant, le champ d'exploration se fait plus vaste. La marche et la course sont plus assurées, le tricycle aussi : le jardin ou le petit square ne suffisent plus, l'univers se fait soudain plus vaste.

Évidemment, l'enfant prend des risques et se met souvent dans des situations dangereuses dont il ne sait plus comment sortir. Sa perception du danger n'est pas encore à la hauteur de ses capacités physiques. C'est pourquoi **il a encore besoin d'être surveillé de près**.

L'adulte n'est pas là pour empêcher, inhiber ou punir, mais pour encourager, soutenir et aider peu à peu l'enfant à acquérir la maîtrise de ses gestes et de ses escalades. Bien souvent, un encouragement de la voix (« *Ah, tu ne sais plus comment redescendre. Lève un peu le pied qui est sur la barre, voilà, déplace ta main qui est sur le côté afin d'attraper la corde, penche-toi, tu vas pouvoir sauter par terre sans risque,* etc.) vaut beaucoup mieux qu'une intervention physique directe, car alors l'enfant n'aura rien appris sinon qu'il est un incapable. S'il s'en sort seul, il aura pris confiance en lui pour la fois prochaine.

Désormais l'enfant **monte et descend les escaliers** sans aide s'il peut se tenir à une rampe. Il est souvent capable de se servir de petits **ciseaux** et de découper (attention à vos livres!). D'une main, **il tient un verre plein** sans le renverser.

LANGAGE

Le langage continue à se développer rapidement, si bien que les mots prennent de plus en plus souvent la place des actes. Il parle au lieu de pleurer et réfléchit à un problème plutôt que de se lancer immédiatement dans des expérimentations. Son langage l'aide à développer son intelligence, qui en retour lui permet une meilleure utilisation du langage.

Selon les cas, son vocabulaire comprend **entre trente et trois cents mots**. Il est souvent capable de faire des phrases complexes correctes, respectant la **place des mots, le genre des adjectifs** et la **concordance des temps**. Si l'enfant a entendu deux langues dès sa naissance, il commence à s'exprimer dans les deux.

▶ Pour aider l'enfant à développer son vocabulaire, on peut, ce trimestre, passer à une autre étape : **s'appuyer sur son expérience sensorielle**. Apprendre à être attentif, à voir, entendre, toucher, goûter, est un jeu passionnant pour l'enfant et d'autant plus enrichissant qu'il s'accompagne des phrases qui expliquent.

La nature offre une infinité d'occasions d'observer ce qu'on ne regarde habituellement pas (les nuages qui défilent, les bourgeons qui poussent, la fourmilière en plein travail, l'araignée qui tisse sa toile), de toucher (la mousse, les feuilles différentes, les fourrures d'animaux), d'écouter (les chants d'oiseaux ou le bruit de l'eau).

Mais le foyer offre lui aussi de nombreuses possibilités d'expérimenter de nouvelles sensations et de les nommer. Être attentif, savoir écouter les petits bruits, regarder les détails, sont des qualités importantes à développer chez un enfant, car elles lui rendront service lors de ses acquisitions futures.

SOCIABILITÉ

Les relations sociales de l'enfant de cet âge évoluent peu. S'il aime et recherche les contacts avec ses pairs, il est encore maladroit dans ses relations. **La morale et la patience ne sont pas de son âge**; aussi gentillesse et agressions peuvent-elles alterner assez rapidement envers un même copain, rendant les rapports brefs et conflictuels. Cela aussi s'arrange doucement.

JEUX ET JOUETS

En parallèle, l'enfant est davantage capable de jouer seul. Son imagination et sa créativité lui permettent de développer des **scénarios** qu'il prolonge pendant de longs moments, les reprenant au besoin le lendemain.

Ses jeux préférés, nous l'avons vu, consistent à **démonter et remonter** les objets. Il tire une grande satisfaction à voir qu'un objet peut être détruit et reconstruit comme il était avant. Un établi, rudimentaire mais avec des outils semblables aux vrais, lui fait très plaisir. Les puzzles, les cubes et les gros jeux de construction participent aussi de ce mécanisme.

Il aime les **petits personnages** qu'il peut faire évoluer à sa guise : de la maison au parc, de l'école au garage, ainsi que les marionnettes auxquelles il commence à savoir prêter vie.

Plus calme et un petit peu plus concentré, il va prendre plaisir à la **peinture**, au **dessin** (pas encore au coloriage qui ne respecte pas la créativité de l'enfant), à la **pâte à modeler** ou **à la pâte à sel**, aux **perles** que l'on enfile pour se faire des colliers ou aux **lacets** colorés que l'on passe dans des trous pour encadrer des dessins.

L A PLACE DU PÈRE

Il peut sembler déplacé, aujourd'hui, de commencer un chapitre par ce titre. D'ailleurs cet ouvrage, de la première ligne à la dernière, s'adresse au père comme à la mère. On voudrait croire que, la vie moderne et l'évolution des mentalités aidant, les rôles sont devenus interchangeables. Que les pères, tous plus ou moins « *nouveaux* », nourrissent, promènent, cajolent et baignent au même titre que les mères. Que les mères, de leur côté, partagent avec soulagement tâches parentales et tâches ménagères avec l'homme de leur vie.

Or il n'en est rien. Les femmes comme les hommes sont au travail toute la journée. Or, qui prend des jours de congé pour les maladies de l'enfant ? Qui l'emmène chez le pédiatre ? Qui va l'inscrire à l'école ? Qui se lève la nuit ? Qui lave et repasse ? Qui a la responsabilité concrète et quotidienne de l'intendance et de l'éducation ? La mère, toujours la mère. Le 1 % des couples qui échappe à cette règle a beau faire la une des magazines féminins, il ne suscite pas quantités d'adeptes pour autant.

Non pas que les pères aiment moins leurs enfants, ou s'en désintéressent ; mais voilà : « ils n'ont pas le temps ». A peine si père et enfants se croisent le matin ou le soir, à peine s'ils ont le temps de s'embrasser avant de se quitter. Le temps de transport ajouté au temps de travail rend les échanges très brefs. Le manque de désir, de volonté ou d'intérêt pour les très jeunes enfants fait le reste.

Le trait est grossi volontairement. En fait, la situation d'aujourd'hui est **très variable** d'une famille à l'autre.

Certains pères maternent à temps plein ou à temps partiel. D'autres assument le bain, le jeu, les promenades, occasionnellement ou quotidiennement. Certains, enfin, ne font rien ; juste réparer, le dimanche, les jouets cassés. Ils se construisent une carrière et gagnent le pain quotidien : c'est très bien, mais insuffisant pour créer une relation de confiance et d'intimité avec son enfant.

Le travail ne peut tout justifier (les mères aussi travaillent) et il est toujours possible de téléphoner à son enfant ou de se réserver une plage horaire pour aller se promener seul avec lui. C'est une banalité de dire que **les années perdues ne se rattrapent pas**, mais c'est particulièrement vrai dans le domaine de l'éducation. C'est dans la petite enfance que s'établissent les fondements de bons rapports entre un père et ses enfants.

▶ Ce livre n'est pas le lieu pour approfondir un tel débat. Mais il est important d'y écrire **qu'un père n'est pas seulement un géniteur, ni un compagnon de passage, ni une deuxième mère.** En reconnaissant son enfant, il s'engage fondamentalement face à lui, plus encore que face à sa compagne. Son rôle face à l'enfant est tout aussi important que celui de la mère et il serait bon que tout le monde (la société en général, mais aussi la mère de l'enfant, et lui-même) lui permette de se donner les moyens de l'assumer. Même si les conséquences de l'absence de l'un ou l'autre des parents dépendent de beaucoup de facteurs, il en va toujours ici de l'équilibre futur de l'enfant.

Nombreux sont aujourd'hui les parents qui ne partagent pas la vie quotidienne de leurs enfants. On peut, de cette façon aussi, assumer pleinement son rôle de père ou de mère, pour peu que l'on ait à cœur de rester le plus près possible de ses enfants, de leur développement, et de tenir une vraie place dans leur vie.

▶ Traditionnellement, le père a toujours été celui qui servait **d'intermédiaire entre l'enfant et la société**, dans laquelle il l'introduisait progressivement. Entre autres effets fondateurs du psychisme de l'enfant, **le père est celui** :

■ **qui ouvre l'enfant au monde** en le sortant de la dyade mère-enfant et lui permet de devenir indépendant;

■ **qui lui offre des stimulations nouvelles**, différentes, plus excitantes, lui permettant de voir la vie en «stéréo» plutôt qu'en «mono»;

■ **qui fournit un modèle social**, sorte de référent et de support qui permet à l'enfant de faire ses choix et de se déterminer;

■ **qui, par son autorité, sécurise l'enfant**, renforce son attachement, et lui permet de s'opposer sans crainte de détruire;

■ **qui permet à l'enfant l'apprentissage des différences sexuelles** et la découverte de son propre sexe : le garçon a un modèle auquel s'identifier, la fille un homme à séduire.

A l'adolescence, il sera trop tard pour espérer nouer des liens qui ne l'ont pas été dans les premières années. Le jeune n'aura rien à partager avec celui qui n'aura jamais été là ni disponible pour lui.

Quant aux cadeaux, aux superbes vacances, ils ne compensent rien, et surtout pas une attention quotidienne. Au contraire : très vite, l'enfant les interprète pour ce qu'ils sont, un moyen de se déculpabiliser en remplaçant le temps que l'on ne donne pas par de l'argent que l'on dépense.

L'HEURE DE L'HISTOIRE

Lire ou raconter une histoire à son enfant fait partie classiquement du **rite du coucher**. Si l'enfant est énervé, l'histoire le calme et le fait entrer doucement dans le monde du rêve. Si, au contraire, il est fatigué, c'est aussi une bonne activité, car elle ne demande pas une participation active de la part de l'enfant.

Mais, bien entendu, il existe bien **d'autres moments** où l'on peut, avec profit, raconter une histoire ou regarder un livre avec son enfant. Le mettre tôt en contact avec la chose écrite est le meilleur (et peut-être le seul) moyen de lui transmettre le goût des livres et le plaisir de la lecture.

L'INTÉRÊT DES HISTOIRES

Les histoires développent le **vocabulaire** de l'enfant et nourrissent son **imaginaire**. Elles l'entraînent à suivre un **déroulement logique** où certaines actions aboutissent à des conséquences attendues ou surprenantes. Mais les histoires apportent encore plus que cela à l'enfant. Tout en éveillant son intelligence et son imagination, **elles l'aident à voir plus clair en lui-même**.

Parce qu'il arrive aux personnages des aventures dans lesquelles l'enfant peut se reconnaître, les histoires lui permettent d'imaginer des solutions possibles à ses peurs inconscientes et à ses conflits intérieurs. Il se sent déculpabilisé, puisqu'il n'est pas seul dans son cas, et cela lui donne une plus grande confiance en lui.

Dans ces contes où les bons personnages sont vraiment

bons et les méchants vraiment méchants, l'enfant se repère facilement. Il est heureux parce que les bons triomphent : sa vision d'un monde juste s'en trouve renforcée.

QUOI RACONTER ?

Il existe de très nombreuses collections de livres de contes ou d'histoires pour les jeunes enfants. Les libraires et les bibliothécaires sont à même de vous renseigner sur ce qui convient à l'âge de votre enfant.

■ **Les contes traditionnels** (Perrault, Grimm, etc., mais aussi les contes d'autres parties du monde peut-être moins connus) ont toujours autant de succès. Ils mettent en situation des conflits et des difficultés qui résonnent dans l'inconscient des enfants de tous les pays et de toutes les époques.

Presque toujours, il va s'agir d'un pauvre, d'un gentil, d'un petit, qui finira par être le vainqueur, souvent par ruse, vivacité ou intelligence, d'un plus grand et plus méchant.

■ Mais les histoires plus récentes sont également appréciées. Le jeune enfant aime particulièrement les **histoires d'animaux avec leurs petits**, auxquels il s'identifie.

C'est la même chose avec l'histoire d'un petit enfant qui lui ressemble. Il se sent moins seul : les autres enfants aussi ont des difficultés, font des bêtises, se sentent incompris.

■ Il existe aujourd'hui de nombreux **petits journaux** auxquels vous pouvez abonner votre enfant et qui offrent des histoires souvent d'excellente qualité et bien adaptées à l'enfant.

■ Si vous faites partie de ces parents qui ont assez d'imagination pour **inventer** leurs propres histoires, sachez que vos enfants ont bien de la chance. Ce n'est plus du «prêt-à-lire» mais du «sur mesure».

Même si vos histoires suivent plus ou moins le schéma des histoires classiques, vous les enrichissez de mille détails qui ne concernent que vos enfants, si bien qu'ils se sentent encore plus directement concernés.

Dans vos récits, vous glissez des phrases qui témoignent directement de votre **histoire personnelle** et de votre inconscient, ce qui sera reçu parfaitement par l'enfant. La communication passe bien, ce qui sera précieux dans d'autres situations.

COMMENT LIRE ?

Les enfants aiment que celui qui leur lit l'histoire la leur fasse vivre réellement. Il faut absolument **mettre le ton, comme au théâtre**, pour que l'enfant vibre, attende, ait peur, se sente ému, inquiet ou amusé, se fasse surprendre par les événements et ressente enfin le soulagement du dénouement.

■ Il ne faut pas hésiter, en lisant, à remplacer un mot ou une structure trop difficiles pour l'enfant par d'autres plus accessibles. **Adapter le texte à cet enfant-là**, modifier un nom, tout cela fait partie de la liberté et de la créativité du narrateur qui fait sien le texte.

■ Les jeunes enfants aiment beaucoup qu'on leur lise ou raconte souvent **les mêmes histoires**, au point qu'ils finissent par en connaître des passages entiers par cœur. Pourtant, si vous y mettez toujours le même plaisir, ils vivront toujours le même enchantement, comme la première fois.

L'histoire qu'ils aiment entendre répéter résonne souvent profondément en eux et ils y trouvent des réponses correspondant à leur niveau de développement. Aussi est-il naturel d'accéder à leur demande. Mais attention : ils exigeront le même ton, les mêmes mots, le même mystère.

Il est souhaitable que votre enfant ait accès librement à ses livres, car il peut prendre plaisir à les feuilleter seul et à se raconter pour lui-même ceux qu'il connaît bien.

Les premiers petits livres seront souvent gribouillés ou arrachés. Ne soyez pas trop sévère : cela fait partie de sa façon de les aimer. Progressivement, vous apprendrez à votre enfant à respecter les livres et à les garder beaux.

L'ENFANT GAUCHER

Beaucoup de parents, voyant leur enfant se servir fréquemment de sa main gauche pour tenir la cuiller ou le ballon, se posent la question de savoir si leur enfant est gaucher et s'il convient de contrarier cette tendance. En fait, il n'est pas toujours simple de déterminer à cet âge si un enfant est droitier ou gaucher. **La plupart sont encore ambidextres**, c'est-à-dire qu'ils se servent des deux mains.

Dans certains cas, la main droite sert pour certaines activités et la main gauche pour d'autres. Dans d'autres cas, les deux mains sont employées indifféremment. Il est toujours possible alors de favoriser la prise du crayon dans la main droite, afin de développer une habitude, et de laisser l'enfant libre pour les autres gestes de la vie quotidienne. Cela ne changera rien au fait que votre enfant se révélera gaucher s'il l'est.

▶ Certains petits tests permettent de détecter un enfant gaucher avant la fin de la maternelle, âge où il va devoir se « décider » pour un côté ou l'autre. Généralement, **la main dominante est celle qui sera utilisée pour les tâches demandant de la précision** : dessiner, poser en équilibre, insérer un morceau de puzzle. Ce critère paraît plus pertinent que celui qui tient simplement compte de la fréquence d'utilisation de telle ou telle main.

D'autres petits exercices témoignent d'une gaucherie qui s'installe dans tout le corps et pas seulement au niveau d'une main dominante sur l'autre :

■ On lance un ballon dans les jambes de l'enfant et on voit avec quel pied il le renvoie.

■ On demande à l'enfant d'écouter dans le creux de son oreille le bruit d'un coquillage ou d'une montre et on voit quelle oreille il tend.

■ Pour l'œil, on lui tend un papier roulé en forme de tube et on lui demande de regarder dans la longue vue.

▶ Que faire si l'enfant se révèle être un vrai gaucher ? Rien. **Il n'y a pas de bonne et de mauvaise main.** Il est vrai que notre société ne fait pas toujours la tâche facile aux gauchers, néanmoins ils y réussissent souvent brillamment. Peut-être est-ce justement dû en partie aux efforts supérieurs qu'ils ont fournis au cours de leur scolarité.

Si l'enfant est d'une adresse normale, **il n'y a aucune raison de contrarier un processus neurologique** de latéralisation qui s'installe progressivement. Ces processus sont complexes et fragiles : mieux vaut les respecter. Contrarier un enfant peut, dans certains cas, engendrer des troubles : difficulté de lecture et d'écriture, malaise à se servir de son corps, bégaiement et autres. Pour qu'il soit droitier, on l'a rendu gauche !

L'origine de la gaucherie permet bien de comprendre pourquoi il faut la respecter. Chez le gaucher, les hémisphères du cerveau ont des fonctions inverses. C'est l'hémisphère droit qui est dominant, responsable du langage et des grandes fonctions, et non le gauche. On voit alors que contrarier cette dominance peut entraîner des troubles liés aux apprentissages.

Pourquoi est-on gaucher ? Mystère. Les phénomènes héréditaires jouent certainement un rôle important, mais ils ne sont pas les seuls. On parle aussi de l'influence de l'éducation et de l'environnement, du rôle de l'imitation.

Quoi qu'il en soit, si votre enfant se révèle être un « vrai » gaucher, c'est-à-dire que tout le côté gauche de son corps est d'une adresse supérieure au côté droit, vous n'avez guère d'autre choix que de **le respecter dans sa singularité** et de l'aider lorsque les circonstances l'exigeront (au début du primaire notamment).

A PPRENEZ-LUI A SE LAVER SEUL

Votre enfant revendique son autonomie à coups de *« moi tout seul »* virulents. Profitez-en pour lui apprendre à s'occuper seul de son propre corps : à se laver tout seul, par exemple. Beaucoup de parents pensent que c'est trop tôt, qu'il ne saura pas, qu'il sera mal lavé. D'autres encore trouvent un tel plaisir dans ce moment-là qu'ils ne souhaitent pas y renoncer.

En fait, il ne s'agit nullement de laisser l'enfant seul dans la salle de bain et de partir faire autre chose : tant qu'il y a un **risque de noyade** (un enfant peut glisser et se noyer dans très peu d'eau jusqu'à quatre ou cinq ans), quelqu'un doit rester dans la salle de bain tout le temps où l'enfant est dans la baignoire.

Il s'agit de le laisser se débrouiller avec les soins de son corps. Dès que possible, un enfant doit avoir la **responsabilité** de ce qui le concerne intimement et qui touche à son corps propre : c'est seul qu'il doit manger, se laver, aller faire pipi, s'essuyer, se déshabiller puis s'habiller, etc. Pourquoi ne pas profiter de l'âge où l'enfant revendique de *« faire tout seul »* pour l'encourager et lui apprendre à se débrouiller ?

Dans ce domaine comme dans d'autres, « après l'heure, c'est plus l'heure » ! Tout ne sera pas aussi bien fait ni aussi vite fait que si sa mère continue à s'en charger. Mais un peu de temps perdu à cet âge permet d'en gagner beaucoup par la suite. Cette façon de faire, si elle demande plus d'efforts et de temps aux parents dans un premier temps, leur évite également bien des conflits à venir et rend les enfants plus autonomes, ce qui est un des buts fondamentaux de toute éducation.

Si vous laissez passer cette période, il risque de s'instaurer une proximité corporelle prolongée entre l'enfant et sa mère et une absence d'autonomie dans les comportements qui peut être préjudiciable au futur équilibre psychologique de l'enfant.

COMMENT LUI APPRENDRE A SE LAVER SEUL

■ Attirez son attention sur la **façon dont vous vous y prenez** : selon vos préférences, à la main, avec un gant, une éponge, du savon, du gel moussant, etc.

■ Montrez-lui les petits **endroits à ne pas oublier** : derrière les oreilles, entre les doigts de pieds, les fesses, etc.

■ Offrez-lui, pour l'amuser et le stimuler, un gant Mickey, une éponge en forme de fraise, un savon à la banane...

■ Installez un **tapis antidérapant** au fond de la baignoire.

■ Puis **laissez-le faire** ! Qu'importe si votre enfant ne se lave pas dans les règles et ne suit qu'approximativement vos instructions. Il ne risque pas de ressortir sale s'il a joué dans l'eau chaude au moins un quart d'heure. L'essentiel est qu'il se rince bien, ce qui se fait facilement en se roulant dans l'eau ou avec le jet de la douche.

■ Si vous voulez être complètement rassuré sur le plan de l'hygiène, vous pouvez continuer à vous charger de la toilette de votre enfant une fois par semaine, par exemple les jours de shampooing. Les autres jours, grâce à vos conseils, il se débrouillera comme un grand !

L E PLAISIR DES SENS

Apprendre le langage, puis, plus tard, aborder les apprentissages scolaires complexes, demande à l'enfant de la concentration et beaucoup d'attention. D'une part, **on n'apprend pas seulement avec sa tête**, mais avec tous ses sens. D'autre part, il serait dangereux de ne privilégier qu'un type d'apprentissage, intellectuel, au détriment des autres. Apprendre à se servir de ses cinq sens n'est pas seulement utile, c'est un grand plaisir.

Avant tout, cela consiste à attirer l'attention de l'enfant sur ce qu'il ne voit ou n'entend pas, en partie parce que, centré sur lui-même, il ne s'intéresse pas spontanément à ce qui n'est pas son environnement immédiat et habituel.

Pourtant, avec une dose d'enthousiasme suffisante pour l'entraîner avec soi, on peut amener un enfant à s'émerveiller sur la glissade des gouttes de pluie sur les vitres ou sur le défilement des nuages dans le ciel. L'aider à voir, c'est l'emmener dans la nature pour cueillir les champignons, ramasser les pommes de pin ou écouter les chants d'oiseaux. Mais c'est aussi lui montrer ce qu'il ne voit jamais : la ville la nuit ou vue de haut, le coucher du soleil ou un feu d'artifice.

Chaque sens peut être développé. Pourquoi laisser le toucher ou l'odorat de côté ? Ces sens nous sont moins familiers, à nous adultes, mais, chez l'enfant, ils comptent énormément. Un bébé reconnaît sa mère à son odeur avant même de la voir clairement. Plus tard, il sera un « touche-à-tout » que l'on aura bien du mal à tenir à distance des rayonnages et des présentoirs.

Les parents doivent donc garder en tête, tout au long de ces premières années, que le développement sensoriel est tout aussi important que le développement physique ou intellectuel. Voici quelques idées, qui en généreront d'autres, sur la façon de s'y prendre.

LA VUE

Il s'agit essentiellement ici de développer l'attention visuelle que l'on porte à son environnement, **notamment en prêtant intérêt aux détails**. Avec son enfant, on peut observer comment l'eau s'écoule dans le siphon de la baignoire, comment sont disposées les feuilles autour d'une tige, comment travaille la fourmi qui transporte une miette de pain, comment les ombres s'allongent ou se rétrécissent…

■ Pour les enfants craintifs, qui ont développé par exemple une peur des insectes, il peut être tout à fait utile de passer le temps nécessaire à observer avec intérêt, **à courte distance mais en sécurité**, l'araignée qui tisse sa toile, l'abeille qui butine ou le ver trouvé dans la pomme.

L'OUIE

Ce sens est déterminant, bien sûr, dans **l'apprentissage du langage**. S'il faut ici, comme précédemment, attirer l'attention sur des sons, il est essentiel de toujours commenter pour l'enfant. *« Tiens, tu entends la sirène de l'ambulance ? Allons voir si elle passe dans notre rue ! »*, ou *« Écoute les cloches, il doit être midi ! »*, ou encore : *« Attention, je vais mettre le mixer en route, cela fait beaucoup de bruit ! »*

■ Qui dit sons dit aussi musique. L'enfant affinera son sens de l'audition s'il écoute parfois **la radio** : modifier l'intensité, changer de fréquence, tomber sur des langues ou des musiques étrangères est un jeu bien intéressant.

■ Les musiques que l'on fait écouter aux enfants doivent être variées. Les chansons pour enfants sont, mélodiquement, trop limitées. L'enfant aime aussi **les chansons folkloriques**, les **musiques du monde, la musique classique**. Ainsi son oreille s'ouvre à autre chose et apprend à aimer ce qui n'est pas familier.

■ L'enfant aime jouer avec les voix : on peut se servir d'**un magnétophone** pour s'enregistrer les uns les autres et tenter de se reconnaître. L'enfant adorera écouter sa propre voix.

■ Enfin, l'ouïe, c'est aussi **produire soi-même des sons et des rythmes** : taper dans les mains, taper du pied, agiter des petites bouteilles en plastique pleines de riz ou de lentilles sont autant de façon d'explorer les rythmes et de les traduire dans son corps.

LE TOUCHER

La mémoire, chez l'adulte, s'appuie essentiellement sur la vue et l'audition. Chez l'enfant, en revanche, le toucher est à la fois moyen de **connaissance** et moyen de **mémorisation**. Aussi, plutôt que d'embêter l'enfant en lui répétant à longueur de jour : « *Ne touche pas à ça* », ou « *Enlève tes mains, c'est sale* », faudrait-il, au contraire, l'inciter à toucher et explorer avec ses mains chaque fois que c'est possible.

■ Si l'on demande à son maître avant, afin de s'assurer de la gentillesse de l'animal, on peut très bien caresser un chien dans la rue. On peut aussi manger certaines choses avec ses doigts, enfoncer ses mains dans la terre, caresser l'écorce des arbres. Au fil de ses expériences, l'enfant expérimente le chaud et le froid, le doux et le rugueux, le tendre, le piquant, le moelleux, le sec, le gluant.

■ Certains jeux aident aussi à développer le sens du toucher : colin-maillard, par exemple, où il s'agit d'identifier des gens les yeux bandés, mais surtout le jeu de l'aveugle où, les yeux bandés toujours, on promène l'enfant dans la maison en le tenant par la main et où on lui donne des objets à identifier.

■ Le sens du toucher ne se limite pas aux mains. **Les pieds** ont aussi bien besoin que l'on développe leur sensibilité. Plutôt que de les enfermer tout le jour dans des chaussures ou des chaussons, laissons-les nus. Le sol de la maison est frais ? Cousez des semelles sous une bonne paire de chaussettes (la mousse, côté sol, sera antidérapante).

Pieds nus, l'enfant peut expérimenter la sensation de marcher sur le tapis, le carrelage, le parquet, le sable, le gravier, la terre, l'herbe. Il peut aussi, avec le pied, essayer d'identifier des objets ou tenter de les attraper (une balle, un crayon, un foulard,...).

■ Penser à collecter des **morceaux de surfaces diverses** (velours, fourrure, plastique ondulé, bois, nylon, liège, etc.), puis les coller sur une planche de contreplaqué peut aussi donner lieu à de nombreux jeux de reconnaissance, avec la main ou avec le pied, ou au simple plaisir, pour l'enfant, de toucher et de caresser.

■ Enfin, le toucher, c'est aussi **toute la peau**. Développer ce sens, c'est ne pas ménager les caresses, les enlacements, les fausses bagarres, les jeux de corps-à-corps, les chatouilles. C'est aussi prendre un lait pour le corps ou une huile d'amandes douces et le masser doucement sur tout le corps.

LE GOUT

Développer le goût de l'enfant n'est, a priori, pas difficile. Il suffit pour cela de **le laisser goûter à tout, en le prévenant si la saveur risque de le surprendre**.

Attention : il ne s'agit pas là de lui apprendre à manger de tout, encore moins de le forcer, mais seulement de lui offrir la possibilité de mettre en bouche tout ce qui peut l'être par lui. Il ne s'agit pas d'éducation à la bonne conduite mais au plaisir.

L'ODORAT

Permettre à l'enfant de développer, ou plutôt de ne pas perdre sa sensibilité olfactive n'est pas compliqué non plus.

■ **La cuisine** contient mille odeurs : plantes aromatiques, fruits ou légumes fraîchement ouverts, pain grillé, épices divers. Peut-il, sans regarder, deviner ce qui cuit ?

■ **La salle de bain** est un autre lieu plein d'odeurs à explorer : eau de Cologne, mousse à raser, savons parfumés, sels de bain, lait pour le corps.

■ **Dans la rue**, on peut apprendre à distinguer les odeurs des magasins : la pharmacie ne sent pas comme la boulangerie, ni la parfumerie comme la teinturerie.

■ **Dans la nature** ou à la campagne, on sent les fleurs, la sève, la menthe, l'herbe ou le foin coupé, l'étable ou le lait frais tiré.

L'enfant, face à toutes les sensations, calquera ses attitudes sur celles de ses parents. Selon la façon dont ils les lui présenteront, il sera ouvert, curieux de tout, ou bien timoré, craintif et facilement dégoûté.

Or, savoir être en contact avec ses sensations et en tirer du plaisir est, plus sûrement que tout apprentissage intellectuel, une promesse de bonheur.

L ES GRANDS-PARENTS

Les grands-mères et les grands-pères d'aujourd'hui ne correspondent plus à l'image traditionnelle que l'on avait d'eux. Ils sont **jeunes, actifs, souvent encore pris par une activité professionnelle.** Ils ne cadrent souvent pas, mais alors pas du tout, avec le rôle vieillot du *papi-potager* et de la *mamie-confiture-et-vieilles-dentelles*. De la même façon, ils veillent souvent à ce qu'on ne les confonde pas avec la baby-sitter de service. Ils ont élevé leurs enfants, c'est-à-dire vous, et considèrent que c'est à vous d'élever les vôtres.

Les sentiments ne sont pas moindres pour autant et rares sont les grands-parents actuels qui ne prennent pas leurs petits-enfants pour une partie des vacances. On constate alors qu'avoir des grands-parents jeunes et dynamiques est une grande chance.

■ **Plus la famille est complète, élargie et soudée à la fois, et plus l'enfant se sent heureux.** Plus il côtoie de générations et moins il se sent étouffé. Chacun peut trouver plus de force et se sentir soutenu parce qu'il n'est pas isolé.

Ce rôle de relais et de rassemblement est d'autant plus important aujourd'hui où le taux de divorces est élevé et les familles fréquemment monoparentales ou éclatées. Les grands-parents ont une place très importante dans la **permanence** qu'ils peuvent offrir : l'enfant y trouve des repères dont la stabilité le rassure profondément.

■ Face à leurs grands-parents, les petits-enfants sont curieux de tout, émerveillés. Pour eux, grand-père et grand-mère ne sont pas vieux. **Ils sont ceux qui ont le**

temps de les écouter et de leur expliquer le monde. Ils ont davantage de disponibilité, de patience, de recul, que leurs parents.

Bien sûr, ils gâtent leurs petits-enfants, et cela est parfois source de conflit avec les parents. Mais c'est une grande joie pour les enfants qui se font de merveilleux souvenirs pour l'avenir. Et puis ne sont-ils pas aussi ceux qui prennent le temps de jouer aux petits chevaux, de faire des gaufres ou de fabriquer des habits de poupée?

■ Les grands-parents sont les seuls à pouvoir **parler aux enfants de leurs parents « quand ils étaient petits »,** les aidant à reconstituer leur propre histoire et à prendre le sens du temps.

Il est très important pour un enfant de savoir que maman, quand elle était petite, se chamaillait sans cesse avec sa sœur, ou que papa adorait la mousse au chocolat, qu'ils faisaient des bêtises et suçaient leur pouce.

Les enfants comprennent ainsi que leurs parents, si parfaits et exigeant tant de perfection, ont eux-mêmes été des enfants confrontés aux mêmes difficultés et aux mêmes conflits. Devenir adulte est alors une chose accessible.

■ Très jeunes, les enfants sont sensibles à cette mémoire vivante. Elle les aide à **comprendre la succession des générations** et à se repérer dans le temps. C'est aussi aux grands-parents de dessiner un arbre généalogique simple de la famille et de la garnir des photos de chacun. Cela aide beaucoup les petits à se souvenir que *« Tata est la sœur de maman qui est la tante de Sébastien. »*

Les enfants apprennent aussi qu'ils sont issus de deux lignées, c'est pourquoi ils ont quatre grands-parents et non deux, portant des noms différents et avec des histoires distinctes. Sur l'arbre, ils se voient à la croisée de ces deux lignées.

Les vacances chez grand-père et grand-mère sont les plus belles pour un petit enfant. Aussi ne les en privez pas, quels que soient les conflits d'éducation qui vous opposent à eux.

Ceux-ci sont parfois nombreux, et c'est vraiment regrettable. Les désaccords qui portent sur l'alimentation ou l'âge de la propreté nuisent à tout le monde, et à l'enfant en premier lieu.

Les choses s'arrangent généralement si l'on prend le temps de dialoguer et d'**écouter les avis et les arguments de chacun**, dans le respect mutuel. Des idées qui ne semblent plus à la mode peuvent néanmoins être empreintes de bon sens et d'expérience.

C'est bien entendu aux parents de faire les choix éducatifs concernant leurs enfants, mais il y a beaucoup à entendre dans ce que disent les grands-parents. Parce qu'**ils ont du recul**, ils sont moins prisonniers d'un modèle idéal de perfection auquel l'enfant devrait ressembler. Les enfants les sentent plus tolérants, aussi en font-ils souvent les confidents de leurs difficultés.

Laisser les grands-parents, pendant quelques jours, choyer à leur façon leurs petits-enfants et leur donner du temps, est le plus beau cadeau que vous puissiez faire aux uns et aux autres.

L ES JOUETS

Depuis la plus haute antiquité, il n'existe pas d'enfant sans jouet. Qu'il s'agisse d'un simple bâton, d'une poupée de chiffon, d'une boîte de conserve ou d'un vieux carton, ou, plus près de nous, d'une voiture téléguidée ou d'une poupée qui parle, l'existence du jouet ne dépend pas de l'époque, du lieu de naissance ou du niveau de vie.

Car tout enfant a besoin de jouer, et tout support de jeu peut, d'une certaine façon, être appelé jouet. Jouer est fondamental et participe de façon essentielle au développement à la fois physique, intellectuel, affectif, sensoriel et social de l'enfant.

▶ Quelques idées sur les jouets d'aujourd'hui destinés aux jeunes enfants.

■ Il est **inutile**, et même gênant, **d'offrir** et de laisser à la disposition de votre enfant **un jouet qui n'est pas de son âge** ou de son niveau de développement ou qui, simplement, ne l'intéresse pas. Cela met l'enfant en situation d'échec ou risque de le dégoûter pour l'avenir de ce type d'activité. Mieux vaut ranger ce jouet pour le ressortir dans quelques mois.

■ Trop de jouets laissés en permanence à portée de l'enfant le submergent et noient son attention. En revanche, **sortir les jouets alternativement, puis les ranger ensuite**, renouvelle son intérêt pour eux.
   Ceci n'est bien sûr pas valable pour les jouets favoris de l'enfant auxquels il joue sans arrêt pendant une période donnée, ni pour les jouets «affectifs» dont il doit seul déterminer l'utilisation.

■ Ranger les jouets sur des **étagères basses et larges** ou dans de grands bacs en plastique empilables ou sur roulettes, permet à l'enfant d'être plus autonome avec ses jouets.

Il les voit bien mieux que dans un coffre traditionnel et peut donc les sortir lorsqu'il le souhaite. Mais il peut aussi apprendre facilement à les ranger : les cubes dans le bac bleu, les peluches dans le rouge, les puzzles dans le vert, etc.

■ Les jouets compliqués et chers ne sont pas les meilleurs pour les enfants, c'est-à-dire ceux qui ont la plus grande valeur ludique. Au contraire : **plus le jouet est simple**, moins il en fait par lui-même, **et plus l'enfant sera libre** d'en faire, plus il pourra être créatif.

Ce n'est pas au jouet d'inventer, ce n'est pas à la poupée de dire toujours la même phrase, mais à l'enfant d'inventer, à lui de la faire parler selon les circonstances. Ce n'est pas au mini-ordinateur d'apprendre à l'enfant à parler en lui affirmant, d'une voix synthétique à peine compréhensible : *« Tu t'es trompé, ceci n'est pas une girafe, recommence »*, mais aux parents.

L'amour que l'on porte à un enfant ne se mesure pas au nombre et au prix des jouets qui envahissent sa chambre. Mais davantage au temps que l'on passe avec lui à jouer. Alors mieux vaut mettre à sa disposition, plutôt que des jouets spécialisés et compliqués, **des matériaux non structurés** dont l'enfant pourra multiplier les utilisations.

Citons pour l'exemple : papiers, cartons, feutres ou crayons de cire, ardoise, craies de couleurs, emballages divers, boîtes, cubes et matériaux de construction, balles et ballons, contenants divers pour jouer avec l'eau, accessoires et tissus pour se déguiser, « garage » ou « petite maison » faits dans de grands cartons ou des planches de contreplaqué où trouveront place équipement rudimentaire, poupées, dînette, petites voitures…

■ **Il ne faut jamais négliger les éléments de sécurité**. Certains jouets portent l'indication « NF » : ils respectent les normes de sécurité et sont donc adaptés aux enfants de l'âge prévu sur l'emballage.

Il convient, lorsque l'on achète un jouet, de porter une attention particulière aux points suivants : est-il cassable, par exemple en verre ou plastique fin et cassant ? Comporte-t-il des bords tranchants, des pointes, des pièces détachables que l'enfant pourrait avaler ? Est-il assez gros pour ne pas pouvoir être mis entier dans la bouche ? Les cordons ou ficelles ont-ils moins de trente centimètres de long (au-delà, il existe un risque d'étranglement) ? Y a-t-il une possibilité de se pincer les doigts dedans ? Le jouet est-il solide, résistera-t-il à un traitement pas forcément délicat ? Lancé dans la pièce ou à la tête d'un copain, utilisé comme projectile ou comme arme, peut-il être dangereux ?

■ Enfin, il convient de ne jamais oublier qu'à cet âge encore, **l'adulte est le compagnon de jeu favori de l'enfant**. Point n'est besoin de jouet ni d'argent pour rire ensemble, se courir après, jouer à cache-cache, se raconter des histoires, chanter des comptines, faire un gâteau ensemble ou se promener dans les bois pour commencer une collection de feuilles mortes que l'on fera sécher au milieu des annuaires.

L A PEUR DU NOIR

Rares sont les enfants qui y échappent totalement. La peur du noir apparaît, le plus communément, entre deux et cinq ans, **à une étape charnière** du développement de l'enfant, lors d'un nouvel apprentissage par exemple, ou lors de la mise en place d'un changement de vie.

L'enfant, qui jusqu'ici ne se plaignait pas lorsque ses parents éteignaient la lumière en sortant de la chambre le soir, commence à réclamer que la lumière reste allumée dans la chambre ou dans le couloir et qu'on ne ferme pas la porte.

Parfois même l'enfant se réveille au milieu de la nuit et on le trouve assis dans son lit, tremblant de peur. Selon son imaginaire, il parle alors de loups, de monstres, de vilains messieurs, de voleurs, d'un mauvais rêve ou seulement d'une peur sans objet.

Sur le moment, les parents d'aujourd'hui sont plutôt surpris. Eux qui ont pris soin de ne jamais menacer du croque-mitaine, qui n'ont jamais lu *La chèvre de Monsieur Seguin* et qui n'ont raconté *Le Petit Chaperon Rouge* qu'avec un grand luxe de précautions oratoires, se trouvent très désarçonnés par ce qu'ils qualifieraient volontiers de sornettes.

Mais si les loups se sont faits rares, les peurs, elles, sont restées. Et si les sorcières n'existent pas, la peur, elle, existe « pour de vrai ». Preuve qu'elle vient d'ailleurs et que les histoires effrayantes que l'on a de tout temps racontées aux enfants le soir à la veillée, si elles n'arrangent rien, ne sont pas à l'origine des peurs. Elles en sont l'expression. Sans images sorties des contes, la peur se nourrira des ombres ou du bruit de la pluie sur le toit.

L'habitude de faire dormir les enfants dans l'obscurité totale est relativement récente. Bizarrement, elle date de l'avènement de l'électricité et de l'interrupteur. Elle est apparue en même temps que la nouvelle habitude consistant à les faire dormir seuls dans leur chambre.

Il semble que l'on ait, depuis le début du siècle, sous-estimé les besoins qu'ont les petits enfants et négligé les conditions qui peuvent leur assurer un sommeil paisible.

■ Parmi celles-là, le fait de **pouvoir se repérer dans l'espace** lorsque l'on se réveille au milieu de la nuit compte pour beaucoup. Or, on sait que les petits enfants passent en sommeil léger, voire se réveillent tout à fait, plusieurs fois par nuit.

S'il fait nuit noire, l'enfant est perdu, désorienté. Souvent, il va appeler et réveiller ses parents afin qu'ils viennent le rassurer. Mais, s'il voit suffisamment, grâce à **une petite lumière intime et rassurante** qui vient soit de la veilleuse, soit de la pièce mitoyenne ou du couloir, il va vite pouvoir saisir où il se trouve, se remettre dans le sens du lit et récupérer seul son doudou ou son ours.

Dès qu'il n'aura plus de couches la nuit, il pourra se lever seul la nuit pour se rendre aux toilettes ou jusqu'à son pot, ce qu'il n'oserait jamais faire dans le noir complet avant plusieurs années.

On voit que laisser une veilleuse à l'enfant, non seulement ne nuit pas au développement de son autonomie, mais au contraire la renforce. Un jour, plus tard, il vous dira tout aussi nettement que cette lumière l'empêche de dormir et qu'il préfère s'endormir dans le noir. Mais, ce jour-là, son sommeil aura changé de nature, il saura allumer une lampe de chevet et il aura bien grandi.

■ Installer une veilleuse n'est pas suffisant. Il est bon également de **rassurer l'enfant**, lors d'un cauchemar par exemple. On peut le rassurer **sur le plan explicite**. On le prend dans ses bras, on le console sans se moquer de lui, on fait si nécessaire le tour de la chambre, lumière allumée, pour vérifier que personne n'y est caché.

Mais les parents ne doivent pas oublier de rassurer l'enfant plus profondément, **en parlant de la peur elle-même** et non de son objet. Ils peuvent par exemple dire à leur enfant que ce sentiment est fréquent à son âge. Cela signifie qu'il grandit, qu'il doit renoncer à des choses de sa petite enfance et que cela fait parfois peur. Lui expliquer que ses parents sont à ses côtés et que ses peurs disparaîtront quand il se sentira plus fort. Les parents doivent montrer à leur enfant qu'ils n'ont pas peur de sa peur.

C'est en le rassurant à ce niveau-là que l'on aide vraiment un enfant à dépasser sa peur. Peu à peu, il saura se rassurer lui-même sans avoir besoin d'une intervention extérieure. Parce qu'il sentira ses parents compréhensifs et chaleureux, il pourra se rendormir seul, serrant son ours contre lui, répétant pour lui-même cette formule magique : *« Maman est là, Papa est là, tout va bien, rien ne peut m'arriver. »*

L'ÉCOLE A DEUX ANS

L'école maternelle, dans la limite des places disponibles, accueille les enfants de deux à six ans. N'étant pas obligatoire, elle prend en priorité les enfants de trois ans. Mais, dans la mesure où la mère travaille et où l'enfant, souvent, libère une place de crèche, de nombreux enfants de deux ans intègrent la section des «tout-petits».

▶ Est-ce bon ou non pour eux? La question a donné lieu a beaucoup de polémiques. La réponse est d'autant plus importante que **la plupart des écoles maternelles refusent maintenant les entrées d'enfants en cours d'année**, après Noël, ou après les vacances de février. Quant aux crèches, elles «lâchent» les enfants à trois ans pile. Un enfant né en mars doit-il rentrer à l'école à deux ans et demi, ou à trois ans et demi? Bien souvent les parents n'ont pas vraiment le choix…

■ Il est vrai qu'un enfant de deux ans est encore bien petit pour s'intégrer à la communauté scolaire et à ses contraintes. Les classes de trente enfants sont fréquentes et il est quasiment impossible à l'institutrice, quelles que soient ses qualités, de s'occuper individuellement des petits comme il le faudrait.

Beaucoup d'enfants de deux ans ne sont pas encore tout à fait propres le jour, encore moins à la sieste. Ils ne savent pas encore bien s'occuper d'eux-mêmes et se défendre face aux plus grands. Ou bien ils ne parlent pas suffisamment bien pour comprendre tout ce qui est dit et exprimer leurs désirs, leurs besoins. Enfin, beaucoup auront à faire de très longues journées : accueil du matin, école, déjeuner à la cantine, école, garderie du soir… Les mères qui travaillent n'ont bien souvent aucune autre possibilité, mais ces journées, pleines de bruits, d'activités, de monde, sont bien éprouvantes à deux ans.

■ Pourtant l'accueil de l'enfant de deux ans s'est bien amélioré ces dernières années. Les écoles ont mis en place des **structures spécialement conçues pour les tout-petits,** plus proches du jardin d'enfants que de l'école proprement dite.

Chaque enfant a son lit où il peut dormir à sa guise et laisser ses «doudous». Les enfants jouent par atelier sans être astreints à une réelle discipline. Ils peuvent s'ébattre physiquement. Les institutrices sont volontaires pour ces classes et font preuve d'une patience, d'une chaleur et d'une sensibilité qui force l'admiration des parents et l'affection des enfants.

Une grande part de la réussite de l'intégration d'un enfant de deux ans à la maternelle dépendra donc de la structure et des choix pédagogiques de l'école, ainsi que de la personnalité de l'institutrice.

■ Finalement, il semble que ce ne soit pas tant l'âge de l'enfant qui compte que son **niveau de développement.** Trop immature, il se sentira perdu et, malheureux, se construira une mauvaise image de l'école. Au contraire, s'il est prêt, il s'adaptera bien et évoluera très vite entre deux et trois ans. L'école lui offrira de riches possibilités de socialisation, de découvertes, de jeux, de fous rires, de chahuts, de développement du langage et de l'autonomie, qu'il n'aurait sans doute pas eues autrement. Avec ceux de son âge, il sera stimulé à imiter, recréer, inventer. Il se bâtira une personnalité dont il peut comparer les effets sur autrui.

▶ Aussi, si votre seul choix est de mettre votre enfant à l'école à la prochaine rentrée, ne vous culpabilisez pas.

Préparez-le soigneusement, mettez-le en confiance, rassurez-le, **et ménagez-lui une période d'adaptation** où il fera des petites journées (quinze jours à mi-temps facilitent souvent beaucoup les choses).

Sachez enfin que les statistiques sont formelles : plus un enfant a fait d'années de maternelle, plus sa **scolarité future** a des chances de bien se dérouler. Cette relation se retrouve dans toutes les classes socio-culturelles, mais elle est d'autant plus nette que l'on se situe dans des milieux très modestes ou peu stimulants.

L'ENFANT

DE

30

A

32

MOIS

QUI EST L'ENFANT DE 30 A 32 MOIS ?

PERSONNALITÉ

A deux ans et demi, un enfant est généralement propre le jour, mais chez certains cela prendra encore quelques mois sans pour autant témoigner d'un quelconque problème. Chacun son rythme, c'est tout. **Celui qui est en avance dans un domaine l'est généralement moins dans un autre**, puis presque tous les enfants finissent par se rattraper. Quant à la propreté de nuit, elle est venue ou elle viendra d'elle-même, en son temps, quand le niveau de maturité de l'enfant sera suffisant.

A cet âge, l'enfant a acquis la **conviction d'être une vraie personne** et n'a plus besoin de le clamer à tout moment. Il sait bien qui il est et se nomme par son prénom.

S'il fait encore beaucoup de bêtises, ce n'est généralement plus par provocation mais par ignorance ou par maladresse. Comme dit la sagesse populaire, *il n'y a que ceux qui ne font rien qui ne se trompent jamais*, et ce n'est pas le cas de l'enfant de deux ans et demi qui, lui, est sans cesse occupé. Au point qu'il se passerait parfois volontiers de faire la sieste l'après-midi. Il ne fait pas toujours, loin de là, ce qu'on aimerait lui voir faire, mais avec une telle énergie et une telle imagination qu'on est parfois trop fier de lui pour se fâcher !

L'enfant de deux ans et demi, aux yeux de tous, devient un *grand*. Même son corps change : il perd ses proportions et ses rondeurs de bébé, **il s'allonge et s'affine**. De mois en mois, on voit sa morphologie évoluer. Le caractère, lui aussi, se dessine davantage et l'on se fait une idée plus juste du **tempérament** de chacun. On distingue les audacieux des timides, les actifs des bavards, les bagarreurs, les créatifs, les sensibles, etc.

Sa **curiosité**, jointe à sa **vitalité** et à son **besoin d'indépendance**, fait qu'à cette époque, il n'est pas rare qu'on perde son enfant dans la foule, dans la rue ou dans un magasin. Il a si vite fait de profiter d'un moment d'inattention pour lâcher la main de l'adulte et partir à la découverte !

Aussi faut-il être particulièrement vigilant lorsque l'on emmène un enfant de cet âge dans un lieu public. Attention, notamment, aux parcs d'attraction, aux centres commerciaux et aux magasins à la période des fêtes (cadeaux, lumières et pères Noël sont très attirants…).

DÉVELOPPEMENT PHYSIQUE

L'enfant connaît désormais bien son corps. Il peut en nommer les parties essentielles et sait quelles capacités en attendre. Plein de vitalité, il court, saute à pieds joints, danse, court encore, s'arrête brusquement et repart…

La coordination entre l'œil et la main est désormais bien meilleure : pour faire un puzzle, l'enfant ne tâtonne plus comme il le faisait auparavant, il regarde les pièces disponibles, regarde les formes à remplir, et va souvent d'emblée vers la bonne. Il n'essaie plus à toutes forces de la faire rentrer à l'envers.

Il tient son crayon comme un adulte, ce qui lui fait faire des progrès dans ses productions graphiques. Il prend plaisir à visser et dévisser. Mais surtout, il aime se servir de ses mains pour toucher. La connaissance qui passait par la bouche auparavant passe désormais directement par la main. C'est ainsi que l'enfant **se développe une sensibilité tactile** et il est bon, chaque fois que possible, de le laisser toucher. Il aime tout particulièrement ce qui est doux (cheveux, fourrures, peluches, etc.).

LANGAGE

La prononciation de l'enfant s'est améliorée, même s'il ne maîtrise **pas encore toutes les consonnes**. Certains sons sont particulièrement difficiles à prononcer, comme r, z, s, ch ou f, et il faudra encore un an ou deux à beaucoup d'enfants avant qu'ils puissent les prononcer de façon correcte.

Certains mots ont encore des **sens multiples**. Ainsi toutes les femmes peuvent être appelées *« maman »* et les autres enfants, de son âge ou plus jeunes, *« bébé »*.

En revanche, il connaît déjà **plusieurs chansons** qu'il est capable d'interpréter ou de mimer, et est capable d'obéir à trois instructions données de façon simultanée, par exemple : *« Va à la cuisine, prends le torchon qui est sur la table et ramène-le-moi, s'il te plaît. »*

SOCIABILITÉ

Avec ses amis de son âge, l'enfant de deux ans et demi est capable de plus de coopération et de tolérance. Il **commence à «organiser» des jeux** de façon rudimentaire. Des petits groupes de deux ou trois enfants se forment, dont chacun veut être le chef et décider pour les autres. Si bien que cela ne dure pas bien longtemps et les disputes verbales ou les bourrades physiques sont encore fréquentes.

L'enfant qui en bouscule un autre trouve en revanche inadmissible de se faire bousculer. Cela signifie simplement qu'**il est encore incapable de se mettre à la place** de l'autre. Il n'y a pas là de méchanceté et les choses s'arrangeront dans les années qui viennent. Bien des adultes n'appliquent pas encore, à leur âge, le principe qui voudrait que l'on traite l'autre comme on aimerait qu'il nous traite en retour. Alors n'exigeons pas des enfants qu'ils soient meilleurs que nous !

JEUX ET JOUETS

Aux jeux des périodes précédentes, on peut ajouter les **instruments de musique rythmique** (bien meilleurs pour l'enfant que les pianos ou guitares miniatures qui jouent faux).

On peut aussi confier à l'enfant **un électrophone** (genre « mange-disque ») **ou un lecteur de cassettes** dont il saura très vite comprendre le mécanisme. Il pourra ainsi, seul, écouter ses chansons ou ses histoires préférées.

■ Pour ses jeux d'imitation, il aimera se servir d'une **trousse de médecin** (rajoutez du coton et offrez-lui des vrais pansements ou du sparadrap : il sera ravi).

■ En mettant à sa libre disposition **une grande quantité de matériel non structuré** (morceaux de tissu, grands cartons d'emballage, papier et gros crayons en cire, ciseaux, tableau et craies, pâte à modeler, etc.), on lui permet de développer son imagination et de jouer longtemps, bien davantage qu'avec les jouets dont l'utilisation précise a été conçue par le fabricant.

■ Parce qu'il commence à intégrer les règles, l'enfant de deux ans et demi devient capable de jouer correctement à des **jeux de société très simples** comme le loto à images ou les gros dominos.

■ Enfin, il est toujours très content et tire beaucoup de bénéfices à jouer à des jeux d'extérieur, structures complexes ou portiques pour jeunes enfants.

L ES DISPUTES ENTRE FRÈRES ET SŒURS

En ayant un second enfant, puis un troisième, vous aviez peut-être en tête une image idéale de la famille : tout le monde s'entendait bien, se soutenait, et l'harmonie était sans faille. Puis vous voilà confronté à tout autre chose : des chamailleries, des disputes qui semblent incessantes, de la violence parfois.

Vous avez donné à votre aîné un compagnon de jeu et voilà qu'ensemble ils vous rejouent Caïn et Abel ! Bien sûr, vous avez du mal à supporter ces querelles : l'ambiance est tendue et vous souffrez pour vos enfants d'être sans arrêt pris dans des conflits. Auriez-vous tout oublié de votre propre enfance ?

Disons les choses clairement. **Les rivalités au sein de la fratrie sont inévitables ; elles en sont même une des composantes principales.** Dès la naissance du second, la compétition commence. L'aîné est jaloux du cadet dont on exige moins. Le cadet est jaloux de l'aîné qui a plus de pouvoirs et de droits. Finalement, chacun veut pour soi tout seul l'amour parental, ou, tout du moins, la plus grosse part. Pour chaque enfant de la fratrie, un enfant de plus signifie spontanément de l'amour, du temps et de l'attention en moins.

Une part de rivalité, donc de conflits, est par conséquent inévitable. Il faut en prendre son parti. Dites-vous que, bien gérée, elle **forme le caractère** de l'enfant et lui apprend à se défendre dans la société. Elle enseigne aussi le partage, la négociation, la générosité, la vivacité.

Après tout, dans la vie, aucun n'a « tout » pour lui seul, et il faut bien l'apprendre un jour.

Mais reste à **définir ce qu'est le niveau acceptable** de cette rivalité. Et là, je crois que les parents ont une grande part de responsabilité. Selon la façon dont ils vont intervenir ou considérer chaque enfant, ils vont soit encourager involontairement les disputes, soit au contraire apprendre aux enfants à les gérer rapidement puis à les éviter. Selon leur comportement éducatif, ils vont soit attiser la rivalité soit l'atténuer, en facilitant chez leurs enfants l'apprentissage de bonnes relations interpersonnelles.

Voici quelques exemples d'attitudes parentales qui ont un effet direct sur le niveau de rivalité des enfants.

LES COMPORTEMENTS
QUI ATTISENT LA RIVALITÉ

☐ Vous êtes convaincu que la vie est un vaste de champ de bataille où, à l'issue de bagarres permanentes, ne survivent que les plus forts et les plus aguerris. Aussi vivez-vous les disputes de vos enfants comme un entraînement plutôt efficace, en tout cas indispensable, à ce qui les attend par la suite.

☐ Vous êtes convaincu que les frères et sœurs doivent absolument s'aimer et se soutenir mutuellement. Toute manifestation d'un sentiment négatif entre eux vous bouleverse et vous semble contre nature. Vous stoppez toute chamaillerie immédiatement pour les « forcer » à s'entendre.

☐ Vous éprouvez une préférence pour l'un de vos enfants et le faites bénéficier par conséquent d'un traitement de faveur.

☐ Comme vous les aimez tous de la même façon, vous veillez à leur donner toujours strictement la même chose : le même temps d'attention, la même part de gâteaux, le même nombre de cadeaux de Noël, etc. Vous pensez que tenir compte de leurs besoins individuels ouvrirait la porte à l'injustice.

☐ Vous comparez vos enfants afin de donner l'un en modèle, positif ou négatif, à l'autre. Vous prononcez des phrases comme : *« Jamais ton frère à ton âge ne m'aurait fait une colère pareille » ; « Elle, à ton âge, elle était déjà propre ! » ; « Regarde comme Paul va se laver gentiment : lui, il n'en fait pas toute une histoire ! » ; « Ta sœur est infernale en voiture, heureusement que toi tu es sage » ; « Toi, au moins, tu ranges tes jouets ! »*

☐ Vous vous en prenez systématiquement à celui qui attaque ou qui frappe (le plus souvent le grand envers le petit). Vous le réprimandez exclusivement, sans vous occuper de l'agressé ni des raisons qui ont poussé l'agresseur à son geste.

☐ Vous êtes vous-même en rivalité fréquente avec votre conjoint, votre patron, vos voisins, vos enfants, etc. Les tensions et les conflits sont une composante importante de l'ambiance familiale.

LES COMPORTEMENTS QUI ATTÉNUENT LA RIVALITÉ

■ Vous vous préoccupez de la question des relations fraternelles **dès le plus jeune âge** de vos enfants : c'est tout jeunes que vous tentez de leur apprendre à partager, à échanger, à gérer leurs conflits, à se respecter, etc. Vous n'attendez pas qu'ils grandissent, en espérant que les choses s'arrangeront d'elles-mêmes.

■ **Vous permettez à chaque enfant d'éprouver des sentiments négatifs** envers son frère ou sa sœur, voire envers vous. Au besoin, vous l'aidez à les exprimer. *« Je vois combien tu es furieux contre ton frère qui vient de renverser ta tour » ; « On dirait que tu m'en veux quand je m'occupe des devoirs de Laure. Tu préférerais sans doute que je passe tout ce temps à jouer avec toi »*, etc.

■ Vous évitez de donner raison ou tort à l'un ou l'autre des enfants qui se querellent. Au lieu de cela, vous **constatez** la situation : *« Je vois deux enfants très fâchés l'un contre l'autre ; peut-être devraient-ils se séparer un moment afin de retrouver leur calme. »*

■ Vous interdisez absolument la violence physique, mais **permettez que l'agressivité s'exprime** d'une façon qui ne fait de mal à personne, verbalement par exemple. Si deux enfants se battent, vous les séparez. Mais si vous arrivez « après la bagarre » *(« Maman, Kevin, il m'a donné un coup de pied ! »)*, vous ne vous occupez que du bleu sur la jambe et non de réprimander le coupable.

■ **Vous n'enfermez pas un enfant dans le rôle de l'agresseur**, « le méchant » et l'autre dans le rôle de la victime que vous devez protéger. Vous savez que les choses sont toujours plus subtiles que cela et que vous risqueriez ainsi de figer les comportements.

■ Vous définissez **des règles de comportement** que vous veillez à faire systématiquement appliquer. Par exemple : *« Chacun ses jouets » ; « Un jouet emprunté doit être rendu » ; « On ne se fait pas mal » ; « On ne touche pas seul à ce qui est dans ce placard » ; « On ne rentre pas dans la chambre de Marie en son absence »* ; etc. A terme, la constance des attitudes parentales paie toujours et les enfants finissent par respecter les règles.

■ Vous prenez le temps d'expliquer à vos enfants **les**

avantages du partage et de l'échange. Ils comprendront vite qu'ils ont ainsi accès à deux fois plus d'objets.

Vous leur expliquez également ce qu'il se passe dans l'esprit de l'autre, l'aidant à se mettre « à sa place ». Pour cela, il faut, tant que les enfants sont petits, ne pas hésiter à passer du temps avec eux, pour les aider à exprimer leurs conflits et à trouver une solution qui convienne aux deux.

■ **Vous ne prêtez aucune attention particulière à ce qu'un enfant vous « rapporte »,** sauf, bien sûr, s'il s'agit d'une situation dangereuse pour laquelle vous devez intervenir.

Vous ne sollicitez pas de tels comportements, ni ne confiez à un enfant la responsabilité ou la surveillance d'un frère ou d'une sœur à peine plus jeune.

■ Vous leur offrez **des tâches à réaliser en commun** de façon à développer l'esprit de coopération et non seulement de rivalité.

■ **Vous respectez l'individualité et le caractère de chacun.** Vos enfants sont différents et vous donnez à chacun ce dont il a besoin. Ainsi vous les rassurez sur le fait qu'ils sont uniques pour vous et aimés totalement, tels qu'ils sont. Vous utilisez des phrases comme : *« Je sais combien il est pénible pour toi de… »*, ou *« Impatient comme tu es, je comprends que tu aies du mal à attendre »*. Chaque enfant se sent spécial à vos yeux et compris par vous. En sécurité affective, il éprouve moins le besoin d'écraser le frère ou la sœur rivaux.

L ES « DÉFAUTS » DE PRONONCIATION

Certains parents s'inquiètent du fait que leur enfant « avale » certains sons, en change et en échange d'autres (« le *sa* » pour le « chat », *pacheau* » au lieu de « chapeau ») et en rend beaucoup totalement inintelligibles.

Il faut savoir qu'une prononciation un peu difficile est normale à cet âge. **Il est inutile, voire néfaste, de reprendre l'enfant de façon systématique**, même avec les meilleures intentions. Si l'enfant prononce ainsi, c'est qu'il ne peut, pour l'instant, faire mieux. C'est tout aussi désastreux de se moquer de lui ou de l'imiter en riant.

Il ne faut pas oublier que **le langage est un moyen de communication mis au service de l'échange** et non du dressage : ce qu'exprime l'enfant est plus important que la façon dont il le dit. Si vous interrompez fréquemment votre enfant pour lui faire répéter un mot mal prononcé, il aura vite l'impression que vous ne vous intéressez pas à ce qu'il vous dit, et il aura raison. Le reprendre sur la forme de ses paroles risque de le décourager durablement sur le fond.

Un apprentissage en formation est encore fragile et souvent susceptible. Si l'enfant pense qu'il parle « mal », il risque de se détourner de l'envie et du plaisir de s'exprimer librement. Son langage progressera moins et l'on aboutira au résultat inverse de celui recherché.

▶ Reprendre sans arrêt un enfant est une attitude qui traduit une méconnaissance de la façon dont l'enfant apprend à parler. Corriger les défauts de prononciation d'un enfant qui commence à faire des phrases est totalement inutile et va le décourager.

Si l'enfant entend bien, l'écart entre ce qu'il entend et ce qu'il prononce n'est pas une faute que l'on peut corriger, mais une maladresse de la langue, **une immaturité du système** phonatoire ou une impossibilité temporaire à pouvoir articuler. Rien sur quoi l'enfant puisse agir du jour au lendemain.

Dans la plupart des cas, **la prononciation s'améliorera d'elle-même au cours de l'année qui vient**, avec l'entraînement et avec la maturation physiologique. Dans le cas contraire, il sera toujours temps, au cours de la cinquième année de l'enfant, de faire réaliser un bilan de langage par une orthophoniste.

▶ Que faire alors? Avant tout, **parler correctement** devant l'enfant. Puis parler **avec lui**, en lui offrant de nombreuses occasions de s'exprimer librement. Il fait une faute? Reprenez simplement la bonne prononciation dans la réponse.

Mieux que tout « rabâchage », un dialogue ouvert et sympathique lui donnera progressivement le goût des mots et le sens de la forme correcte.

L E VOYAGE EN VOITURE

« Papa, c'est quand qu'on arrive ? », soupire une petite voix à l'arrière de la voiture, alors que vous venez tout juste de passer la Porte d'Orléans… Et vous songez avec inquiétude qu'il vous reste encore huit cents kilomètres à parcourir, sans parler de la chaleur et des embouteillages.

Occuper ses jeunes enfants pendant les longs trajets en voiture doit être l'un des soucis principaux des parents, tout de suite après la sécurité et l'intendance. Passons donc rapidement ces trois points en revue.

LA SÉCURITÉ

Votre enfant doit obligatoirement voyager dans un **siège-auto** homologué, puis dans un **siège rehaussé**, et être retenu par sa **ceinture de sécurité**. Vous devez être absolument intransigeant là-dessus. Il l'acceptera d'ailleurs d'autant mieux que vous donnerez vous-même l'exemple.

On voit encore trop, aujourd'hui, malgré les informations et les interdictions, d'enfants qui voyagent assis sur le siège avant, ou à l'arrière mais sur les genoux d'un adulte, ou simplement sans ceinture. Quand on connaît les risques encourus, le nombre d'enfants blessés ou tués chaque année sur la route, la violence de l'impact, en cas de choc, d'un petit crâne d'enfant sur le pare-brise, on comprend que ces comportements négligents sont inadmissibles. Ils sont de plus, depuis peu, contraires à la loi.

Pour la sécurité des enfants, il est recommandé également :

■ de **bloquer le système de sécurité des portières** arrière du véhicule de façon à ce que l'enfant ne puisse les ouvrir de l'intérieur ;

■ de **ne pas déposer d'objets lourds ou tranchants sur la plage arrière** ;

■ de **ne pas trop baisser les vitres arrière** afin que les petits bras n'aient pas la possibilité de s'y glisser ;

■ d'**enfermer les animaux** dans un panier spécial ou de les isoler du conducteur avec un filet ;

■ de **faire des pauses régulières** où chacun se détend et se dégourdit les jambes.

L'INTENDANCE

Le trajet se passera bien si vous le préparez correctement. Certains préféreront rouler de nuit, afin que les enfants dorment et qu'il y ait moins de monde sur la route. Dans tous les cas, il est important d'étudier la meilleure heure de départ et les lieux d'escale.

■ Parmi les provisions à emporter, il ne faut pas oublier les couches si nécessaire, de l'eau fraîche en bouteille isotherme, des mouchoirs en papier, des sacs en plastique, de la nourriture facile à grignoter (fromage en cubes, fruits en morceaux, fruits secs, biscuits, etc.).

■ Si la route tourne, attention à la nausée : les enfants ne préviennent pas toujours. En cas d'attente dans la voiture, prévoyez de pouvoir lutter contre les coups de chaleur ou, au contraire, contre les effets du froid.

OCCUPER SON ENFANT

De jour, le problème essentiel pour l'enfant de cet âge est de devoir rester immobile des heures. Vous pouvez l'y aider, là encore, à condition de vous y prendre à l'avance. Voici quelques idées.

▦ Permettez à votre enfant d'**emmener ses jouets** favoris avec lui. Attention : si le conducteur est seul avec l'enfant dans la voiture, il est bon de penser à les attacher (ainsi que le «doudou») avec une ficelle fixée à son siège afin qu'il puisse les «hisser» seul s'il les fait tomber.

▦ Emmenez des **cassettes de comptines et d'histoires** à écouter. Choisissez de préférence celles qu'il connaît déjà et aura plaisir à «réécouter».

▦ Si vous avez prévu d'emporter **son propre oreiller**, votre enfant acceptera plus facilement le principe d'une petite sieste.

▦ Prévoyez des **petits jouets bien emballés à offrir un à un**. Mais également, si cela l'intéresse, **un gros catalogue** à feuilleter, **une poupée**, ou toutes choses pouvant renouveler son intérêt.

▦ Profitez de ce temps où vous êtes «coincés» ensemble pour **bavarder, jouer** avec votre enfant et l'intéresser à ce qu'il voit. Nombreux sont les jeux de mots, les activités d'éveil et les découvertes qui peuvent être faits lors d'un voyage en voiture. Il serait dommage de se limiter à *« Compte toutes les voitures blanches que l'on croise »* !

JOUER AUX «QUESTIONS D'ÉVEIL»

Le principe est le suivant :

■ **On part toujours du vécu de l'enfant** et on se sert d'exemples concrets, pris dans l'environnement immédiat, pour illustrer les apprentissages.

■ On présente les questions comme **des petits jeux nouveaux et amusants, sous forme de devinettes.** Si on veut «intéresser» le jeu, on peut décider qu'un certain nombre de bonnes réponses donne droit à un petit cadeau.

Les notions de situation dans l'espace (au-dessus, à côté, derrière, proche,...) peuvent être travaillées avec des questions comme : *«Trouve une voiture qui s'éloigne et une qui se rapproche»; «Est-ce que le camion est devant ou derrière nous ?»; «Pose ta poupée entre toi et la portière, puis au milieu du coussin»;* etc.

On peut de la même façon, selon le niveau et les goûts de l'enfant, poser des questions comme : *«Quelles sont les couleurs des vaches de ce champ ?»; «Comment s'appelle le petit de la vache ?»; «Que donne la vache ?»; «Que fait-on avec le lait ?»; «Quel est le contraire de haut ?»; «Cite un nom de fleur, d'oiseau, d'arbre... »*

> **Toutes ces questions occupent votre enfant. Il est content de jouer avec vous, et vous trouvez en même temps l'occasion de l'intéresser avec ce qui l'entoure. Le temps passe plus vite, il apprend à regarder et il accroît son vocabulaire.**

FAIRE LA FÊTE

Un seul anniversaire par an, un seul Noël... Entre-temps? L'attente, le quotidien, toujours répétitif et pas très rigolo. **Le temps semble bien long aux petits enfants,** alors que c'est l'inverse pour nous. Les fêtes qui les concernent sont trop rares, trop attendues, trop préparées aussi. Le jour J passe toujours trop vite lorsqu'on l'a attendu des mois.

Les enfants aiment les fêtes, toutes les fêtes, dès lors qu'elles changent de l'ordinaire. Ils aiment aussi **les surprises,** en faire comme en recevoir. Mais la répétitivité des emplois du temps, la fatigue lorsque l'on rentre du travail et la force des habitudes ne favorisent pas une ambiance de fête et de gaieté. A cet égard, ce sont les enfants, avec leurs petits cadeaux, leurs dessins et leur joie de vivre qui nous montrent l'exemple. Alors pourquoi ne pas changer et inventer la fête au quotidien?

Prendre la vie comme une fête, ce n'est pas un surcroît de travail, de coût ou de temps. C'est d'abord un état d'esprit. C'est changer son regard pour s'entraîner à **percevoir toutes les petites occasions de surprise, de plaisir ou de complicité partagée** avec ses enfants. Les occasions ne manquent pas : l'anniversaire du chat, le premier jour des vacances, l'arrivée du printemps, la visite de grand-mère, une nouvelle dent, les deux ans et demi, etc.

▣ **Tous les moments sont bons.** Le soir, il faut peu de temps pour sortir une tarte du congélateur, se déguiser, mettre un ruban autour d'une jolie carte, décorer la table de quelques bougies et emballer trois bonbons dans un papier d'argent. Le dimanche matin, on peut faire du brunch familial une vraie fête qui suit les retrouvailles et les câlins dans le lit parental.

■ La fête, pour les enfants, c'est avant tout une **ambiance faite de légèreté et des choses qui sortent de l'ordinaire**. Vous avez du mal à faire manger votre enfant ? Innovez.

Proposez-lui un pique-nique dans le parc, un repas à l'envers qui commence par le dessert, une raclette, une fondue au chocolat où l'on trempe des morceaux de fruits, un repas de crêpes salées et sucrées.

Essayez les repas composés de mets exclusivement jaunes (maïs, purée, œuf, banane, etc.), blancs (cœurs de palmier, riz, blanc de poulet, yaourt, etc.) ou roses (radis, saumon, purée betteraves-pommes de terre, sirop de grenadine, etc.).

Pour décorer la table, faites participer l'enfant : il installera une jolie vaisselle en carton, des petites fleurs cueillies dans le jardin et dessinera une carte pour chacun.

■ Faire la fête, pour les enfants, consiste également à **avoir le droit de faire ce qui est normalement interdit**. Par exemple sauter sur le lit des parents, avoir la permission de veiller ou manger avec les doigts.

Un autre élément consiste à **être quelqu'un d'autre** que celui que l'on est habituellement. D'où l'intérêt des enfants pour le maquillage et le déguisement. Un jour, on peut leur laisser libre accès à la garde-robe parentale et les laisser se déguiser en «papa et maman» : fou-rire garanti. Un dimanche, on peut décider que chacun ne doit s'habiller qu'en rouge, ou qu'avec les habits d'un autre…

■ Pour faire du bain une fête ? Offrez à l'enfant une variété de savons de toutes formes et couleurs et laissez-le choisir shampooing, sels de bain ou talc. Vous venez de lui acheter une paire de chaussettes ? Enveloppez-la dans un joli papier et faites-en un petit cadeau. Un copain vient jouer à la maison? Offrez-lui de dormir là. Votre enfant ne veut pas aller se coucher? Dressez la tente dans un coin de sa chambre et laissez-le aller y dormir, enfoncé dans un sac de couchage.

Les idées ne manquent pas. Si leurs parents sont ouverts et disponibles, les enfants ne sont jamais en peine d'imagination. Ils aiment préparer et participer, anticipant la surprise des autres et leur propre plaisir.

Ces petites fêtes quotidiennes sont surtout du temps où l'on est bien ensemble, du temps sans conflits où l'on pense avant tout à faire plaisir à l'autre.

L'essentiel est là : dans cette joie complice qui unit la famille, sécurise les enfants et leur donne la conviction que vivre est un plaisir.

L ES RÈGLES DE POLITESSE

Pour la grande majorité des parents, la base des règles de politesse, c'est : *« bonjour »*, *« au revoir »*, *« s'il te plaît »* et *« merci »*. Ces quatre petits mots magiques qui témoignent de l'enfant « bien élevé » nous viennent si naturellement, de façon quasi automatique, qu'on a du mal à admettre que les enfants les oublient si souvent.

Ce n'est pourtant pas faute de le leur répéter : *« Dis merci à maman »*, *« Dis au revoir à la dame »*... mais non. Alors qu'ils apprennent tant d'autres choses de façon si facile ! N'y mettraient-ils pas un peu de mauvaise volonté ? Chaque jour on s'épuise à répéter la même chose et cela semble être totalement en vain : on finit par se poser des questions.

Rassurez-vous : tous les enfants sont ainsi. La phase d'apprentissage des règles de la politesse dure des années. **Des années de répétitions et d'attente des mêmes exigences.** Ce n'est que vers l'âge de six ou sept ans que cet apprentissage commence à porter ses fruits : l'enfant comprend alors à quoi il sert. Mais pour qu'un enfant de sept ans soit poli, ou seulement se tienne correctement, il faut avoir commencé bien avant, autant dire dès la naissance...

Votre enfant n'a pas l'âge de mémoriser les codes sociaux. **Il n'en comprend pas l'utilité et n'en ressent pas le besoin.** Pourquoi dirait-il bonjour à des gens qu'il ne connaît pas ? Pour dire bonjour à ceux qu'il aime, il dispose d'autres moyens : il crie, il court, il va chercher un jouet pour le montrer, il intègre l'autre dans une activité partagée lors d'une autre rencontre, ce qui est une façon de le reconnaître et d'abolir l'absence. De même, pourquoi dirait-il au revoir alors qu'il n'a pas du tout envie de s'en aller? Lui n'était pas prêt, n'avait pas décidé ce départ. Il n'embrassera pas spontanément s'il est fâché.

Le *« s'il te plaît »* et le *« merci »* sont plus rapidement mis en place, même si l'enfant n'en voit pas l'utilité immédiate. Exprimer son besoin lui semble bien suffisant, pourquoi rajouter des petits mots qui ne servent à rien?

▶ En tant que parents, vous pouvez expliquer, mais **n'exigez pas trop**. La perfection n'est pas de son âge, aussi est-il inutile de se fâcher si les bonnes habitudes vous semblent longues à acquérir. L'essentiel à ce stade est que l'enfant comprenne qu'il s'agit d'un parcours obligé s'il veut vous faire plaisir ou obtenir ce qu'il veut.

Voici quelques règles qui peuvent vous aider à adopter une attitude cohérente :

■ L'apprentissage de la politesse, si l'on souhaite qu'il aboutisse, **se commence très tôt et se poursuit sans relâche**. A l'âge de votre enfant, vous pouvez le reprendre s'il ne dit pas *« s'il te plaît »* ou bien tout simplement l'informer que votre oreille n'entend les requêtes que si elles sont ainsi formulées. Un peu d'humour ne nuit jamais à l'éducation et évite de prendre les oublis trop au sérieux !

■ **Les punitions ou les menaces sont des réactions excessives dans ce domaine.** A un enfant qui ne veut pas dire bonjour et cache son visage dans les jupes de sa mère, on peut dire simplement : *« C'est dommage que tu ne me dises pas bonjour, ce serait tellement agréable, mais tant pis, ce sera pour demain. »*

■ **La politesse s'apprend par l'exemple.** Si vous voulez un enfant poli, commencez par être systématiquement poli avec lui. Plutôt que *« Viens là »*, on peut dire *« Tu veux bien venir une minute, s'il te plaît ? »*. Il ne faut pas négliger de lui dire bonjour le matin et de lui souhaiter bon appétit lorsqu'il se met à table.

Trop d'adultes, lorsqu'ils rencontrent un enfant accompagné de ses parents, négligent de lui dire bonjour : c'est pourtant là, dans ce respect, que tout commence.

L'enfant est sensible à la politesse que l'on a envers lui, mais également à celle que les adultes ont entre eux. Difficile de demander à l'enfant d'être plus poli que soi lorsque l'on boude son conjoint, qu'on médit sur les voisins ou que l'on traverse la rue pour ne pas avoir à saluer une collègue de bureau !

L'apprentissage de la politesse n'est pas continu. Certaines périodes d'opposition systématique semblent tout remettre en question, même si profondément il n'en est rien. On apprend souvent par hasard que son enfant se comporte de façon plus correcte chez les autres que chez soi, ce qui est plutôt bon signe (les codes sont connus, même s'ils ne sont pas toujours appliqués).

Certains parents peuvent penser que la politesse est une chose dépassée, un code stérile et hypocrite, et qu'il est bien trop tôt pour embêter leur enfant avec cela. Chacun, bien entendu, élève ses enfants en fonction de ses expériences et de ses croyances. Attention toutefois à ce que l'enfant, devenu grand, n'ait pas à souffrir de la méconnaissance des règles qui régissent la vie en société.

LE BAISER

Autant je suis favorable au fait d'apprendre aux enfants à dire *« bonjour »* et *« au revoir »*, autant je suis choquée chaque fois que je vois un enfant contraint à embrasser.

Les baisers font plaisir aux adultes bien plus qu'aux enfants. La politesse exige que l'on dise les mots d'accueil et de séparation, mais elle n'impose pas des gestes d'affection que l'on n'éprouve pas. Quel adulte n'a pas un souvenir désagréable de baiser mouillé ou piquant, pris sans être offert? On s'étonne que les enfants, plus tard, ne veuillent plus embrasser personne…

Le baiser est un signe d'affection qui s'offre spontanément, ce qui exclut qu'il soit exigé ou imposé. Ne disons jamais à un petit enfant, l'air faussement affligé : *« Tu ne m'embrasses pas ? »*. Il le fera alors pour obéir, et agira en désaccord avec son sentiment réel. N'ôtons pas tout son sens à cet élan d'amour…

C AUCHEMARS ET TERREURS NOCTURNES

Entre deux et sept ans, les enfants ont de temps à autre le sommeil troublé par des mauvais rêves. Il arrive qu'ils se réveillent et appellent, mais ils peuvent aussi bien pleurer et crier en dormant, puis se calmer et repartir dans un autre cycle de sommeil.

Ces mauvais rêves peuvent prendre deux formes, de gravité différente : si le cauchemar déclenche une anxiété qui se résout vite face à la réalité, les terreurs nocturnes témoignent d'une véritable angoisse.

LES CAUCHEMARS

Ils sont fréquents à certaines périodes de la vie de l'enfant et, tant qu'ils ne reviennent pas plusieurs fois par nuit, **ne doivent pas susciter d'inquiétude** particulière. L'enfant qui a fait un cauchemar se réveille générale-ment brusquement, en proie à la peur. Il appelle ou vient chercher ses parents, mais il se peut également qu'il pleure sans se réveiller. Certains enfants peuvent parler de leurs cauchemars, d'autres non : ils les ont oubliés. Rassuré par ses parents, l'enfant se calme assez facile-ment et continue normalement sa nuit.

La cause des cauchemars est à rechercher dans les **conflits internes**, essentiellement inconscients, que peut vivre l'enfant, au même titre que tout être humain. Cer-taines idées, culpabilisées, reviennent sous forme d'un danger qui menacerait l'enfant. Tout cela est normal :

l'enfant grandit, son psychisme se constitue, il devient plus complexe. Aucune vie d'homme ne peut être exempte de tout conflit intérieur et de toute angoisse.

D'autres événements, plus conjoncturels, peuvent favoriser les cauchemars à certaines périodes : **une exigence parentale trop grande, une expérience de la journée** qui a été mal vécue, **un inconfort** (chaleur, difficulté à respirer), etc.

LES TERREURS NOCTURNES

Elles sont une forme plus rare, mais aussi plus grave, des cauchemars. L'enfant se dresse sur son lit, complètement affolé. Il crie, pleure et semble totalement terrorisé par des choses de lui seul visibles. Même s'il a les yeux ouverts, il dort encore, mais se débat et ne semble pas reconnaître ses parents. Au bout de quelques minutes, qui paraissent bien longues aux parents impuissants face à ce paroxysme d'angoisse, l'enfant finit par se rendormir tranquillement. Il ne garde, le lendemain, aucun souvenir de ces crises.

Ces types de cauchemars, surtout s'ils surviennent fréquemment et si d'autres signes diurnes trahissent également l'anxiété, **traduisent un problème véritable** dans lequel l'enfant se débat. Il est important d'essayer de retrouver le facteur traumatisant qui a pu être la cause de ces terreurs et ne pas laisser l'enfant y faire face seul. Un pédiatre ou un psychologue pourra vous aider à faire le point. C'est ensemble que vous finirez par comprendre les troubles qui agitent votre enfant et vous pourrez alors l'aider à s'en débarrasser.

QUE FAIRE FACE A UN CAUCHEMAR ?

■ Si les cauchemars sont fréquents ou graves, c'est le jour qu'il faut parler avec votre enfant et essayer de comprendre ce qui le perturbe actuellement. **Le rassurer sur votre amour et votre confiance** peut l'aider à vivre des nuits plus tranquilles.

■ Sur le moment même du cauchemar, il faut bien entendu **se lever et aller voir l'enfant.** Allumer dans le couloir afin de dissiper les visions de la nuit, prendre la main de l'enfant, lui parler doucement pour le ramener à la réalité, lui donner à boire un peu d'eau fraîche, puis lui chanter une petite berceuse, sont généralement des comportements apaisants qui suffisent à faire replonger l'enfant dans un sommeil calme.

■ Le lendemain, on peut, si l'enfant s'en souvient, **lui demander de raconter son cauchemar.** S'en libérer avec des mots, alors qu'il fait bien jour, peut aussi avoir un effet bénéfique.

■ Dans le cas des terreurs nocturnes, il faut aller plus loin et **prendre l'avis d'un spécialiste** des enfants. Mais en aucun cas il ne faut tenter de résoudre le problème en prenant dorénavant l'enfant dans son lit, en lui donnant du sirop calmant ou en se moquant de ses peurs sans fondement. La nuit, ces peurs semblent bien réelles et font partie des expériences fortes de l'enfance dont on garde le souvenir toute sa vie.

L ANGAGE, JEUX DE MOTS ET POÉSIE

Jouer avec les mots est l'un des grands plaisirs de l'enfant de cet âge. Mais c'est aussi une activité importante pour lui, car elle contribue à développer le goût des mots et du langage, ce qui lui sera utile lorsqu'il abordera la lecture et l'écriture.

Si, maintenant, il est naturellement poète et ravit toute la famille avec ses **inventions verbales**, son intérêt pour la voix, les rythmes et les sonorités remontent à sa plus tendre enfance.

A cette époque, il était déjà sensible aux **mélodies**, à la voix chantante et aux bercements qui les accompagnaient. Les **comptines** ont, depuis, joué un rôle important. Qu'importe que leur sens soit absurde pourvu qu'elles jouent sur des mots amusants et des rimes surprenantes.

L'enfant adore les mots qui caressent l'oreille et le ravissent par leur seule sonorité. Il appelle sa poupée *« Marguerite Papillon Volant »* ou *« Traguidelle Courte Plume »*, il invente des chansons pour le seul plaisir de jouer avec les mots. Il fait des jeux de mots sans s'en rendre compte et les mélange pour les apprivoiser.

▶ Les enfants sont touchés par la poésie : c'est le moment de **leur en lire** ou d'**en composer avec eux**. Ils inventent avec leur sensibilité plus qu'avec leur réflexion. Ils n'ont pas besoin de comprendre pour apprécier. Ils savent composer avec des mots à eux et exprimer la musique qui les habitent.

La poésie n'est pas pour l'enfant une démarche intellectuelle, mais quelque chose qui touche directement ses sens et son corps. *« Et ron et ron petit patapon »* évoque facilement le chat qui ronronne. C'est pourquoi tant de comptines s'accompagnent d'une gestuelle appropriée.

Dès les premiers mois où il parle, l'enfant s'amuse à répéter les mots. Il les prononce pour le plaisir de les entendre et les enchaîne pour s'amuser. Jouer avec son enfant à apprivoiser le langage et lui montrer que les mots sont comme des balles avec lesquelles on peut jongler est un beau cadeau à lui faire.

On peut, avec l'enfant, inventer des mots qui parfois resteront et feront partie du langage maison. Inventer des poésies ou des comptines. Mais on peut aussi en lire et en apprendre par cœur. Celle-ci, par exemple, est reprise dans un très joli recueil qui s'appelle *Direlire*, par Pierre Coran et Gabriel Lefèbvre (Éditions Casterman, 1989) :

> *La cane a ri*
> *Du canari*
> *Qui s'est nourri*
> *De riz pourri.*
> *Elle a tant ri*
> *Du canari*
> *Qu'elle a péri,*
> *Tant pis !*

L A PRÉPARATION A L'ÉCOLE MATERNELLE

C'est décidé : votre petit bout de chou fait sa première rentrée scolaire en septembre prochain. Pour que tout se passe bien pour lui et pour vous, **une préparation s'impose**.

On dit habituellement que les enfants qui sont déjà gardés hors de chez eux s'adaptent plus facilement. C'est vrai dans une certaine mesure : ils ont pris l'habitude de se séparer de leurs parents le matin et savent bien qu'ils les retrouveront le soir.

Mais l'accueil en crèche ou chez une assistante maternelle est très personnalisé. L'enfant y est encore materné. Même si le choc de la séparation est moins rude et l'enfant plus autonome, l'entrée à l'école sera malgré tout une épreuve importante.

Les enfants ayant un aîné déjà scolarisé ont souvent hâte d'en faire autant. Ils sont très motivés pour aller à l'école et faire «comme les grands». En revanche, un enfant unique dont la mère n'a pas d'activité extérieure, ou, plus difficile encore, celui qui laisse un puîné à la maison seul avec maman, risque de vivre cette rentrée difficilement, comme un rejet ou une manière de se débarrasser de lui.

Autant le savoir, afin de mieux comprendre ce que vit son enfant et mieux le préparer. Par exemple, il est important, dans la mesure du possible, de profiter des mois qui précèdent la rentrée pour faire garder l'enfant dans une halte-garderie. Il s'agit d'une étape intermédiaire qui rendra la transition plus douce.

■ Préparer son enfant à l'école comprend différents aspects. Le plan médical ne doit pas être négligé. Une visite de **contrôle de la vue et de l'audition** est indispensable si l'on a le moindre doute.

Quant aux **vaccins**, inutile d'attendre le dernier moment, car les réactions peuvent être désagréables. Rappelons que si seul le DTCoq Polio est obligatoire, le BCG et le vaccin contre la rougeole, la rubéole et les oreillons sont vivement recommandés.

■ La préparation psychologique prend davantage de temps mais elle est tout aussi importante. Dans les trois mois précédant la rentrée, il faut **parler souvent de l'école avec l'enfant, en lui en donnant une image positive,** mais néanmoins réaliste.

On peut lui vanter les avantages d'avoir des camarades de jeux qui deviendront vite des petits copains. On peut aussi lui parler des activités, des découvertes, des nouveaux apprentissages dont vous serez fiers. Il faut aussi lui décrire son nouvel emploi du temps, lui dire quels jours il ira à l'école, les changements que cela apportera dans sa vie quotidienne et le rassurer sur ses inquiétudes.

■ **L'enfant se sent mieux à la maternelle s'il est autonome.** Le préparer, c'est aussi l'aider à devenir vraiment propre le jour et prévoir des vêtements faciles à enlever et à remettre (des pantalons à taille élastique plutôt que des salopettes, des chaussures à «scratch» plutôt qu'à lacets etc.).

■ **Un mois ou deux avant la rentrée**, puis à nouveau dans les jours qui précèdent, **il est essentiel d'emmener l'enfant visiter l'école**, découvrir sa salle de classe et faire la connaissance de son institutrice.

Le samedi matin est généralement un bon jour : l'enfant peut repérer les lieux tranquillement et les institutrices sont plus disponibles. Grâce à votre présence, votre enfant ne se sent pas abandonné dans un espace inconnu.

Cette reconnaissance du lieu contribue beaucoup à le mettre en confiance et lui donner des repères dans ce nouvel espace scolaire. La vue de tous les jeux présents dans la classe lui donne souvent envie d'aller rapidement les essayer.

Ne négligez pas non plus de vous rendre à la **réunion de parents** que la directrice organise peu de temps avant la rentrée.

■ **Dans la semaine qui précède, il est bon de coucher et de lever l'enfant aux horaires qui seront désormais les siens.** Ainsi il aura pris l'habitude, si ce n'est déjà fait, de se coucher plus tôt, de se laver éventuellement le soir et de ne pas trop traîner en prenant son petit déjeuner.

Il est temps aussi d'acheter des **marques au nom de l'enfant** et de les coudre dans ses vêtements et sur ses doudous.

Enfin, il est bon de prévoir quelques jours, ou une semaine ou deux, de plus grande **disponibilité professionnelle**, afin que l'enfant puisse s'adapter progressivement à son nouveau milieu sans y faire d'emblée des journées de neuf ou dix heures.

L'ENFANT

DE

33

MOIS

A

3

ANS

Q UI EST L'ENFANT DE 33 MOIS A 3 ANS ?

PERSONNALITÉ

Beaucoup de phrases, dans le discours désormais bien construit et plus compréhensible de l'enfant de presque trois ans, commencent par : *« Moi, je... »*. Cela témoigne bien de ce qu'il est à cette période : **un petit garçon ou une petite fille qui se connaît bien et tient à se faire respecter.**

Il sait ce dont il est capable physiquement et intellectuellement, il sait qui il est et se situe bien parmi les membres de sa famille. Il sait ce qui lui appartient en propre, dont il fait régulièrement l'inventaire, et ce à quoi il ne doit pas toucher. Il est fier de lui, mais tout aussi fier, et il s'en vante auprès des copains, de la voiture de son papa ou des chaussures rouges de sa maman.

Comme il se sait un être différent des autres, il vérifie sur eux son pouvoir, ce qui peut se traduire par des caprices à répétition. Par moments, il se montre obéissant et charmant, mais à d'autres, il peut tout aussi bien être autoritaire et inflexible. **Non seulement il voudrait décider pour lui, mais aussi pour les autres.** Comme, de plus, il a encore bien du mal à accepter de négocier ou d'attendre, il se réfugie parfois dans les crises de colère ou d'opposition.

Ah, comme il aimerait bien décider seul et faire seul pour tout ce qui le concerne ! Mais il sent combien il est encore petit et dépendant de l'adulte. Ces sentiments contradictoires ne sont pas faciles à gérer et il ne faut pas s'étonner si l'enfant apparaît, bien souvent, comme changeant et s'il passe pas mal de temps à se contredire lui-même.

▶ La bonne attitude parentale n'est pas facile à trouver. Il faut naviguer entre deux directions.

L'une consiste à **lui faire confiance**, à respecter ses désirs de liberté et à le laisser faire pour tout ce qui est dans ses capacités. Il aime qu'on le considère comme un grand et qu'on lui confie des responsabilités. Plus question de l'appeler *« mon bébé »* !

L'autre consiste à **lui offrir un cadre stable et rassurant**. Quoiqu'il affecte d'en dire, l'enfant de cet âge sait combien il doit encore être entouré et guidé. Il apprécie les adultes capables de résister à ses caprices, de ne pas faire ses quatre volontés et de mettre des limites raisonnables à ses pulsions. C'est, profondément, cela qui le rassure. Aussi n'est-il pas question d'abandonner une attitude éducative empreinte d'une certaine fermeté lorsque c'est nécessaire.

Vers deux ans et demi, trois ans pour d'autres, l'enfant a besoin d'expériences plus riches et d'un environnement plus large.

Il parle correctement, il est devenu autonome en ce qui concerne son corps, il sait se situer dans un environnement social complexe : il est prêt pour l'école.

DÉVELOPPEMENT PHYSIQUE

De plus en plus à l'aise dans son corps, l'enfant court maintenant souplement, tombe peu et ne se cogne pratiquement plus. Il est capable de suivre la famille dans des promenades à pied relativement longues sans avoir besoin d'être porté. Il mange et boit proprement. Il est capable de s'habiller seul, y compris lorsqu'il faut boutonner. Seuls les lacets lui posent encore quelques problèmes. Le plus souvent, une main est systématiquement utilisée de préférence à l'autre pour toutes les activités qui demandent de la précision.

LANGAGE

Toujours curieux de tout, **l'enfant pose beaucoup de questions**, auxquelles il n'est pas toujours facile de répondre simplement, qui témoignent de son niveau de réflexion et d'intelligence. *« Dis, pourquoi... ? »* devient le point de départ de nombreuses conversations. Les pourquoi s'enchaînent les uns aux autres jusqu'à ce que l'adulte n'ait généralement plus de réponse. L'enfant va s'apercevoir que l'adulte ne sait pas tout, ce qui sera une autre découverte importante.

Lui qui n'a jamais appris la grammaire manie sa langue maternelle avec une précision et une correction que bien des étrangers mettront des années avant d'acquérir (s'ils l'acquièrent un jour).

Trois ans, **c'est aussi l'époque des mots d'enfants**. Empreints de poésie, ils témoignent de la façon dont fonctionne la réflexion de l'enfant et dont il apprend sa langue.

▶ Comme il est très sensible à la magie des mots et à leur musique, **c'est le moment de lui lire des poésies, d'en fabriquer avec lui et de jouer avec les mots**. Les rimes, notamment, l'amusent beaucoup et il aimera jouer à trouver tous les mots connus qui se terminent par le son « ion » ou le son « i ».

Son vocabulaire s'enrichit de « petits mots » grossiers (qui ne sont généralement pas encore des « gros mots »), d'autant plus vite qu'il est à l'école. *« Pipi, caca, bou-*

din » le font crouler de rire et il sera tout surpris que ses parents les connaissent aussi !

SOCIABILITÉ

Le niveau de bousculades, voire de bagarres, diminue, à la fois parce que le langage, s'améliorant, permet de résoudre beaucoup de conflits, et parce que les rapports entre les enfants s'imprègnent de **plus de cordialité**.

Attendre son tour, n'être pas le premier servi, n'est plus une telle épreuve ou une si grande injustice. Partager devient possible et même recherché parfois.

Les jeux d'enfants se déroulent souvent par **petits groupes**. Alors qu'il y a peu de temps encore tous voulaient décider et faisaient ainsi éclater le groupe, aujourd'hui un chef de groupe se désigne et fait figure de leader. Il est reconnu ainsi par ses pairs. C'est à la fois celui qui a le plus d'énergie et d'idées et celui qui est capable de faire fonctionner le jeu tout en maintenant la cohésion du groupe.

JEUX ET JOUETS

Tous les jeux suggérés aux trimestres précédents restent valables et l'enfant y joue de mieux en mieux. Les puzzles qui l'intéressent comportent davantage de pièces et leurs constructions sont plus complexes.

A l'approche des trois ans, l'enfant entre à fond dans **l'âge de l'imagination**. Il s'invente des histoires, des copains imaginaires, des aventures extraordinaires. Parfois il s'invente un compagnon, humain ou animal, auquel il donne un nom, un caractère, une vie propre. On a du mal à savoir dans quelle mesure il n'y croit pas vraiment lorsqu'il contraint même ses parents à jouer le jeu. A d'autres moments, il se plonge totalement dans un **jeu d'imitation** et se croit tour à tour pompier, danseuse, cow-boy, mère de famille, le tout avec une conviction totale.

En fait, il n'est pas dupe de ses jeux, et sait bien qu'il n'est pas dans le monde réel. Mais les choses ne sont pas pour lui aussi tranchées que pour nous, si bien que **réel et imaginaire semblent parfois se chevaucher**. L'enfant ne « ment » pas s'il dit qu'il a vu un ours dans la rue ou que c'est le chat en peluche qui a renversé le verre : il embellit simplement la réalité pour la rendre plus conforme à ses désirs.

▶ Si vous voulez faire une grande joie à un enfant de cet âge, mettez à sa disposition, pour servir de cadre à ses aventures imaginaires, **un espace de jeu qui ne soit qu'à lui**. Si vous avez la place, un coin de cave ou de grenier sera le bienvenu. Vous avez un jardin ? Aménagez-y une cabane ou une tonnelle. Sinon une simple tente d'Indiens, ou encore une petite maison en carton, plantées dans la chambre, feront très bien l'affaire. Il y sera chez lui, y cachera ses trésors et y fera, par l'imagination, des voyages merveilleux.

L E CLIMAT ÉDUCATIF

Les parents ont souvent du mal à se fixer sur un mode ou l'autre d'éducation. Le rejet des règles trop rigides d'autrefois a souvent débouché sur des comportements éducatifs laxistes. Alors, au nom du bonheur et de l'épanouissement de l'enfant, on l'a laissé libre de ses comportements. La mode a subi depuis un retour de balancier et l'on parle à nouveau d'autorité.

Les conseils, comme les modèles, sont confus et incohérents. Si l'on ajoute à cela que, dans les familles où les deux parents travaillent, ils préfèrent à juste titre passer le temps partagé avec l'enfant à autre chose qu'à se fâcher, on comprend qu'ils aient du mal à se déterminer.

Dans les chapitres précédents se trouvent des conseils sur la façon dont il semble préférable d'assurer la discipline. Voici maintenant brièvement exposés les résultats de recherches portant sur les conséquences de tel ou tel mode d'éducation ; la plupart des recherches comparent trois façons d'exercer l'autorité.

LE CLIMAT AUTORITAIRE

Dans cette ambiance, les règles et les interdits sont nombreux et clairement signifiés, mais ils ne sont pas expliqués. **Les décisions sont prises « au sommet » et ne se discutent pas.** La structure est rigide.

Si, par exemple, une règle veut que les enfants ne mangent pas de bonbons, cet interdit s'applique en tous lieux et en toutes circonstances. Les heures de repas ou du coucher ne souffrent pas d'exception. Le chef de famille tient les choses en main et tient peu compte des désirs de chacun.

On constate que ceux qui subissent ce type d'ambiance réagissent le plus souvent par l'**apathie**. Ils ne prennent pas d'initiative et accèdent très difficilement à l'autonomie.

Pour certains, les réactions peuvent prendre la forme de **crises soudaines d'agressivité et de révolte**.

LE CLIMAT DE « LAISSER-FAIRE »

Ici, la structuration est faible. Cela dépend des moments ou de la personne. **Il n'y a pas vraiment de règles à appliquer.** Un jour on a le droit, mais pas le lendemain, car les circonstances ont changé. Les enfants sont fréquemment livrés à eux-mêmes : on leur fait confiance, attendant d'eux qu'ils trouvent spontanément les bonnes réponses. Les erreurs ne sont pas sanctionnées.

Dans ce climat, les enfants sont **vite perdus**. Ils n'ont pas de points de repère et ne savent jamais « à quelle sauce ils seront mangés ». La plupart **en profitent pour exiger beaucoup** et deviennent infernaux. Ils cherchent une limite qu'on ne leur indique pas. Il en résulte une anxiété qui se manifeste sous la forme d'une forte agressivité.

LE CLIMAT DÉMOCRATIQUE

La structure de l'éducation est ferme, mais souple : **les règles existent et on veille à ce qu'elles soient appliquées. Mais ces règles sont définies en accord avec les besoins de chacun**. Les désirs des enfants sont écoutés et il en est tenu compte, si bien que les règles supportent des **exceptions**. Par exemple, on peut se coucher plus tard en période de vacances, ou bien on laisse aux enfants les bonbons qui leur ont été offerts. Les comportements des parents sont stables, mais les règles **évoluent avec l'âge** des enfants et toutes les décisions qui peuvent l'être sont prises **en commun**.

Ce climat, d'après toutes les recherches, est le plus efficace. C'est celui qui permet **le meilleur épanouissement** et bien-être de chacun. Le niveau d'agressivité est minimal.

Deux critères viennent encore renforcer ces effets positifs : **si les parents sont en accord** sur les modalités de l'éducation **et s'ils sont tolérants** au bruit et au désordre provoqués par l'enfant.

LA PREMIÈRE RENTRÉE EN MATERNELLE

Quoi qu'ait vécu votre enfant auparavant et même s'il était en crèche, la première entrée en maternelle est toujours **une épreuve** quelque peu difficile et perturbante. Pour l'enfant comme pour sa mère.

Aussi le mot d'ordre essentiel est-il : **sécuriser**. Mieux l'enfant sera préparé et moins il aura d'inquiétudes le jour J, moins il se sentira perdu et abandonné dans ce nouvel environnement.

Mais, même si vous avez suivi les conseils exposés pour le trimestre précédent, il se peut bien que votre enfant, pris par l'ambiance générale, s'accroche à vous lorsque vous l'accompagnerez dans sa classe. Au moment de le laisser dans la classe, son gros chagrin avec de vraies larmes vous laissera au bord du désespoir et vous rongera de culpabilité. Comme toutes les mamans, c'est en courant que vous irez le récupérer le premier midi ou le premier soir.

▶ Cette période, pour pénible qu'elle soit, ne durera pas longtemps, une semaine ou deux tout au plus, si vous suivez ces petits conseils qui ont fait leurs preuves.

▪ Dès le premier matin, veillez à **réveiller l'enfant assez tôt** pour ne pas avoir à le brusquer. Ne vous énervez pas et ne lui demandez pas de se dépêcher.

▪ **Faites-lui prendre son petit déjeuner tranquillement** ; pensez à ce qu'il aime.

▪ **Habillez-le de vêtements et de chaussures simples à enlever et remettre.**

■ Glissez dans une poche **un petit mouchoir** où vous verserez quelques gouttes de votre eau de toilette habituelle pour lui rappeler votre présence, ou bien un petit objet qui lui rappelle la maison et qu'il pourra serrer à l'insu de tous. Dans l'autre poche, glissez une **confiserie** qu'il aura plaisir à trouver lors de la récréation.

■ Dans un sac à son nom, placez **une tenue de rechange** (un « accident » peut se produire) **et le doudou** qui lui permettra de se consoler ou de s'endormir en confiance à la sieste. Les deux doivent être marqués au nom de l'enfant, de même que le manteau, les chaussures, etc.

■ Parlez-lui, **expliquez encore** calmement qu'il viendra ici tous les jours, comme vous vous rendez à votre travail, comme tous les grands, et que vous passerez le reprendre après la sieste, ou après le déjeuner (il est bon, pendant quelques jours, de lui donner la possibilité de s'adapter en faisant des petites journées).

■ **Occupez-vous de votre propre anxiété**, que votre enfant perçoit très bien. Si elle vient contredire un discours rassurant, l'enfant se dit que vous lui cachez des choses inquiétantes, et il a peur.

■ **Soyez tolérants :** l'enfant peut, pendant quelques jours, avoir du mal à dormir ou à manger, être plus énervé, refaire pipi au lit. Tout cela doit rentrer en ordre rapidement.

■ Enfin, une fois que vous avez remis votre enfant entre les mains de son institutrice et passé dans la classe un temps raisonnable, **sachez lui dire au revoir**. Ce qui signifie : ni déposer l'enfant en vitesse et fuir son chagrin, ni profiter de ce qu'il regarde ailleurs, ni dire adieu dix fois et revenir onze fois en arrière. Un baiser tendre, un air calme et convaincu, un mot à l'institutrice, un dernier petit signe de la main en souriant, puis partez.

De cette façon, tout devrait bien se passer. Si, après quelques semaines, votre enfant pleurait toujours le matin et que l'institutrice vous confirme qu'il semble triste et peu actif toute la journée, il conviendrait d'en chercher les raisons lors d'une consultation psychologique.

▶ Par la suite, souvenez-vous qu'une bonne scolarité dépend pour beaucoup de ces trois faits tout simples :

▪ **L'enfant dort suffisamment** (l'école est très fatigante).

▪ **Il prend un vrai petit déjeuner** avant de partir (s'il l'aime, laissez-lui son biberon).

▪ **Vous êtes en contact au moins hebdomadaire avec son institutrice.** Elle vous communique ce que l'enfant fait et vit à l'école, vous l'informez des événements concernant la vie de l'enfant qui peuvent avoir une influence sur son comportement (pathologie particulière, petite maladie, week-end particulier, événement familial heureux ou malheureux, etc.). L'enfant est très sensible à la confiance et à la communication qui existe entre son institutrice et ses parents.

L A FATIGUE DE L'ENFANT A L'ÉCOLE

Dans les semaines ou les mois qui suivent l'entrée de l'enfant à l'école, il est fréquent qu'il subisse le contre-coup sous forme d'une grande fatigue. Les causes en sont diverses :

☐ **L'enfant fait des journées trop longues.** Non seulement la journée scolaire démarre souvent trop tôt, mais encore beaucoup d'enfants commencent par « l'accueil » où leurs parents les déposent encore plus tôt. Ils enchaînent école (bruit, contrôle de soi, agitation, etc.), cantine (le bruit y est parfois assourdissant et donc très fatigant), école, puis à nouveau l'accueil du soir qui s'offre de garder les enfants jusqu'à dix-neuf heures.

☐ **Les rythmes vitaux de l'enfant ne sont pas respectés.** Il n'a pas son temps de sommeil. L'alternance des moments d'activité, de concentration et de détente n'est pas respectée.

☐ **Le petit déjeuner est négligé.** Dans le stress, l'appétit de l'enfant encore un peu endormi ne peut pas se manifester. A défaut d'une bonne collation autour de dix heures, il aura du mal à tenir sans « coup de pompe » jusqu'à midi.

Que faire, alors ?

■ En premier lieu, **veiller sur son sommeil nocturne**, source de toute bonne récupération. Il faut que l'enfant ait son compte de sommeil, donc qu'il se couche et s'endorme de bonne heure. Pour cela, il est préférable que l'ambiance familiale soit calme et la télévision éteinte.

■ Ensuite **veiller sur son alimentation**. Les cantines offrent trop souvent des menus «pour enfants», à base de féculents, afin de diminuer le taux de refus alimentaire. Les institutrices sont nombreuses à offrir des bonbons aux enfants (ou eux-mêmes à venir avec des friandises plein les poches).

Or les enfants ont besoin de légumes verts, de crudités, de fruits. A vous de compenser lors des repas pris à la maison et d'éviter le grignotage qui coupe l'appétit.

■ **Éviter qu'il regarde trop la télévision.** Les jeunes enfants de cet âge sont encore incapables de suivre une histoire suivie, encore moins un reportage ou des actualités. En revanche, ils sont facilement fascinés par l'image en mouvement. Mais le bruit, les lumières, la rapidité, sont un facteur important de fatigue et de surstimulation, plus que de détente.

Si vous devez le mettre devant la télévision, sélectionnez soigneusement le programme que vous lui destinez. Mais surtout ne le laissez pas finir ses soirées face au poste. Il y a des façons plus harmonieuses et plus paisibles de glisser dans le sommeil.

■ Autre source de surstimulation, d'anxiété et de fatigue : **les «heures supplémentaires»** que font les enfants hors de l'école lorsque leurs parents ont hâte de leur apprendre (ou de leur faire apprendre) l'anglais, la natation, la poterie ou le respect des bonnes manières.

Halte ! Ne leur préparez pas, déjà, un agenda de ministre ! Rien n'est encore joué dans la course à la réussite. Une fois rentré à la maison, votre enfant a droit au repos, à l'ennui, à «ne rien faire».

■ Enfin, lui assurer une **hygiène générale de vie la plus saine possible**. Pas trop de chauffage, pièces aérées, vêtements amples et confortables, moments de détente sans activités particulières, balade dans la nature, partage de loisirs accessibles à tous les membres de la famille, etc.

L A NAISSANCE D'UN SECOND

Cette fois, ça y est, vous avez fait le choix important d'agrandir la famille. Un second enfant va naître. Avoir pris la décision n'empêche pas le doute et l'inquiétude. Vous vous posez beaucoup de questions.

Ce grand changement, qui coûtera tant d'efforts à chacun, en vaut-il la peine ? Et si l'on était, en tant que parents, incapables d'aimer un second enfant autant que l'on aime le premier ? Faut-il remettre en question un confortable équilibre à trois qui fut au début si difficile à mettre en place ?

Un nouveau bonheur s'annonce pour tout le monde, mais aussi des remises en question, des difficultés, une disponibilité qu'il va falloir totale.

Comment gérer tout cela, et, surtout, comment s'y prendre avec l'enfant actuel, qui va devenir l'aîné, pour qu'il ait l'impression d'un surcroît de vie et non d'une privation d'amour ? On voudrait lui épargner les souffrances, les douleurs, les apprentissages trop durs, alors que tout cela fait partie de la vie. Il est difficile aussi, dans ces moments-là, de ne pas se sentir renvoyé à sa propre histoire, à sa propre place dans la fratrie… Avez-vous dû, enfant, vivre l'arrivée au foyer d'un enfant puîné ?

L'ANNONCER A L'AINÉ

Beaucoup de parents se demandent à quel moment il faut informer l'enfant de la grossesse de sa mère. Ils craignent qu'à l'enfant informé trop tôt, les neuf mois à patienter paraissent bien longs. Je crois que malgré tout, il faut dire l'attente du bébé **dès que vous en avez la certitude**. Pour la raison simple que votre enfant le sait déjà. Non pas précisément avec des mots (encore que… nous ignorons tout de ce sixième sens qu'ont les très jeunes enfants et qu'ils perdent ensuite), mais avec une intuition très sûre.

Votre enfant a senti votre attente, votre joie, vos doutes, un changement d'ambiance ou de caractère, une plus grande fatigue, que sais-je. Ces indices qu'il perçoit clairement risquent de le plonger dans l'anxiété tant qu'il ne saura pas qu'elle en est la cause. Bien sûr, ces neuf mois seront longs, mais **l'enfant, lui aussi, a besoin de temps** pour se préparer, même s'il est bien incapable d'imaginer comment sera ce bébé et ce qu'il changera à sa vie.

Il faut le dire à votre enfant pour partager cette période avec lui, en tant que membre de la communauté familiale. **Associé, il se sent devenir grand** et moins tenté par un retour en arrière. Vous avez le temps de lui expliquer que cette grossesse est une décision de ses parents, qu'il n'a pas besoin de désirer ou d'aimer ce frère ou cette sœur et que votre amour pour lui ne sera pas remis en question.

LA SOUFFRANCE DE L'AINÉ

Même si votre enfant semble avoir souhaité avec vous cette nouvelle naissance, même si vous l'y avez préparé le mieux possible en l'associant à chaque étape, dites-vous bien que **malgré tout, il souffrira de jalousie** et vivra, à son échelle, une véritable épreuve. Mais une épreuve qui permet de grandir. Jusqu'ici, il était le centre de votre attention et de votre admiration. Il était au centre d'un petit monde qui tournait autour de lui. Encore aujourd'hui, c'était votre « bébé ». Soudain, cette position privilégiée disparaît : tout s'effondre. Ce n'est plus lui que l'on admire, mais ce minuscule bébé. On lui avait promis un camarade de jeu ? Ce bébé ne sait que manger, pleurer et dormir. De plus, il mobilise sa mère vingt-quatre heures par jour.

L'enfant réfléchit alors, mais ne comprend pas bien ce qui peut susciter un tel enthousiasme. Alors, à tout hasard, il va se mettre à faire de même et adoptera à nouveau des **comportements de bébé** qu'il avait abandonnés depuis longtemps.

Tout ceci est normal, mais il serait grave que l'aîné se replie sur lui-même au lieu d'exprimer sa détresse et se fixe sur des comportements régressifs. Au contraire, il est plus sain qu'il extériorise ses sentiments : le rôle des parents est alors de **l'aider à exprimer ce qu'il ressent** et à l'assurer de leur compréhension. Il est bon qu'ils consacrent du temps à leur enfant aîné seul. Parler avec lui, se montrer calme et patient, **exprimer un amour et un intérêt inchangés**, sont des comportements parentaux qui aident l'aîné à dépasser l'anxiété dans laquelle il se trouve plongé et que l'on peut exprimer ainsi : « *Si ma mère en aime un autre, c'est qu'elle ne m'aime plus, ou au moins plus autant.* »

DONNER SA PLACE AU SECOND

Certains parents, dans le souci qu'ils se font du bien-être de l'aîné, en viennent à se sentir coupables de lui imposer une telle épreuve. Ils voudraient le protéger au point de ne pas donner au second la place à laquelle il a lui aussi droit et minimisent l'amour qu'ils lui portent.

Ces comportements sont dommageables pour les deux enfants. Pour le second, car il a besoin de votre amour autant que son aîné. Pour le premier, car il n'est pas bon de vouloir à ce point lui épargner les difficultés de l'existence. C'est en les affrontant, avec votre aide, qu'il grandira.

▶ Il semble préférable de dire à l'aîné quelque chose comme : «*Je comprends très bien que l'arrivée de ce bébé te gêne. Je ne te demande pas de l'aimer, seulement de ne pas lui faire de mal. Car moi je l'aime. Différemment de toi, bien sûr, parce que tu es le seul à être comme tu es, que tu es grand maintenant, que je suis fière de toi. Tu resteras toujours mon aîné. En cela et par tout ce que tu es, tu es unique, et mon amour pour toi est unique lui aussi.*»

Si cette souffrance de l'enfant aîné est comprise et acceptée par les parents, cette naissance sera pour lui une **occasion importante d'acquérir plus de maturité, de devenir plus responsable et de mettre en place de nouvelles aptitudes.**

Certains enfants, par fierté d'être promu grand frère ou grande sœur, en profitent pour devenir propres, faire de gros progrès en langage ou s'autonomiser d'une façon ou d'une autre. On peut d'ailleurs les y inciter en sollicitant leur aide pour s'occuper du bébé, les assurant définitivement d'être dans le camp des grands et non dans celui des petits et des bébés où le plus câliné et admiré des deux est celui qui fait dans ses couches et se réveille la nuit.

▶ Une erreur commune consiste à «profiter» de la naissance du bébé pour modifier des choses importantes dans la vie de l'aîné, parfois simplement parce que l'on restructure la famille. Ainsi la naissance coïncide avec un déménagement, une entrée à l'école ou à la crèche. Ou bien tout simplement, on demande à l'enfant de laisser son lit, voire sa chambre, au nouveau venu.

Ces coïncidences sont maladroites, car l'enfant va rendre le bébé responsable de l'inconfort des changements qui lui sont imposés. Il lui en voudra et se sentira malheureux de ce qu'il risque de vivre comme un rejet.

Aussi les parents doivent-ils, pendant la grossesse et les premiers mois du bébé, être très attentifs à tout ce que l'enfant pourrait ressentir comme étant un manque d'amour ou comme une éjection d'une place où son puîné le remplace.

Quelles que soient les précautions prises et le dialogue que l'on instaure, cette période est difficile pour l'enfant aîné et se déroule rarement dans une sérénité totale.

Une attitude faite de patience, d'affection et de compréhension aidera au mieux chacun à trouver sa place dans la nouvelle constellation familiale.

L'ENFANT UNIQUE

Nos sociétés modernes, riches et confortables font de moins en moins de place aux enfants. Le taux de natalité baisse et le nombre d'enfants uniques augmente. On a un enfant parce que les pressions sociales et affectives sont très fortes, pour ne pas passer à côté d'une telle expérience, parce que les années passent, parce qu'on en meurt d'envie, etc. Mais on ne se décide pas à en faire un second : l'appartement serait trop petit, la profession ne laisse pas assez de temps, le couple s'est dissous entre-temps, on se trouve comblé avec un seul, etc. Pour les parents, plus d'enfants, c'est plus de soucis, moins d'argent et moins de temps. Mais l'enfant, lui, que vit-il ?

Tordons d'abord le cou à une idée reçue : **l'enfant unique ne devient pas forcément plus égoïste que les autres**. Tout dépend comment on l'a élevé. En revanche, il est souvent moins gai, plus raisonnable, moins actif et s'ennuie davantage. Calme, il s'invente, en solitaire, des personnages, des compagnons imaginaires, des aventures où il tient tous les rôles. Au contraire, dans les fratries, on est toujours surpris de la quantité de rires, de disputes, d'échanges et d'interactions en tout genre. Même si chaque enfant a sa chambre, il n'y reste jamais bien longtemps seul. Ce bruit, parfois si dérangeant, est le témoin d'une enfance épanouie, parce qu'il est le signe de l'apprentissage de la vie.

Pour bien comprendre cela et mieux élever son enfant unique, il faut savoir qu'il souffre de trois difficultés que l'on peut résumer ainsi : un trop-tôt, un trop-plein et un trop-vide.

■ C'est trop tôt que l'enfant unique est **plongé dans un**

univers d'adultes. Pour plusieurs enfants, on prend une baby-sitter lorsque l'on s'absente, mais l'enfant unique suit ses parents partout. Témoin de leur vie, confident de leurs problèmes, adapté à leurs horaires, il grandit souvent trop vite parce que n'étant pas baigné dans un monde d'enfants. Plus raisonnable, il est parfois moins gai et porteur de davantage d'angoisses qui ne sont pas les siennes.

■ Le « trop-plein » correspond à l'**excès de pression** dont l'enfant unique est l'enjeu. Dans les grandes fratries, on attend moins de chaque enfant ; de ce fait, chacun est plus à même de suivre sa propre voie. Mais l'enfant qui **porte seul tous les espoirs et les investissements de ses parents** subit une pression trop forte. Bien souvent, il n'a pas droit à l'échec, pas le droit d'être différent de l'enfant rêvé de ses parents. Tout aîné est, au départ, porteur des attentes et de l'anxiété parentales, mais les puînés, un jour, allègent ces contraintes. Pas chez l'enfant unique.

■ Enfin, **le « trop-vide », c'est tout ce que l'enfant unique ne connaîtra jamais**. Tout ce dont les frères et sœurs souffrent parfois mais qui finit par former leurs meilleurs souvenirs. Ce qui les rend plus forts et plus aptes à la vie sociale. Avoir eu, quotidiennement, à partager sa chambre, ses poupées, ses crayons, ses billes, ses secrets.

On peut donner à l'enfant unique le sens du partage en général, mais pas du plus fondamental, du plus terrible et du plus formateur : **le partage de l'amour de maman**, de ses câlins et de son temps. Rivalité douloureuse, certes, mais essentielle pour apprendre que l'on n'est pas le centre du monde et que le monde ne vous appartient pas. L'enfant unique aura parfois du mal à accepter, à ses dépens, de n'être pas l'unique objet d'affection et d'attention de ceux auxquels il sera confronté.

Il ne s'agit pas ici de convaincre ceux qui ne le souhaitent pas d'avoir d'autres enfants, mais de les aider à élever leur enfant unique. Plus il vivra au sein d'un groupe d'enfants, et plus il sera épanoui. C'est parce qu'il se confrontera aux autres et qu'il perdra parfois qu'il deviendra plus fort. C'est parce qu'on le laissera être lui-même qu'il deviendra quelqu'un.

L'ÉDUCATION SEXUELLE

Les enfants d'aujourd'hui ne sont pas tenus dans la même ignorance du sexe que le furent les générations précédentes. Garçons et filles sont mélangés pour toutes les activités et les parents protègent moins leur nudité. Aussi, entre deux et trois ans, savent-ils tous quelles différences anatomiques distinguent les hommes des femmes. Ils savent également à quel sexe ils appartiennent, à quel parent ils ressembleront plus tard et de quel sexe sont les adultes qu'ils rencontrent.

Qu'un enfant soit fier ou non de son sexe, confiant en son devenir, va dépendre directement de l'**attitude de ses parents**. Se sentent-ils heureux d'être ce qu'ils sont ? Chacun est-il respectueux de son conjoint dans sa façon de le traiter et d'en parler à l'enfant ? Aiment-ils leur enfant dans le sexe qui est le sien ou bien regrettent-ils qu'il n'ait pas été de l'autre sexe ? Lui parlent-ils de son avenir avec confiance ? Traitent-ils ouvertement les garçons et les filles de manière différente, voire discriminatoire ? C'est tout cela qui fera que le petit garçon sera content d'être un garçon et la petite fille fière d'être une fille.

C'est également à cette époque que les enfants commencent à poser des questions sur leur origine et sur la naissance. D'où viennent les bébés ? Comment sont-ils arrivés là ? Comment sortent-ils ? Où étaient-ils avant ?

Ils sont curieux de cela comme **ils sont curieux de tout**, sans préjugés. C'est l'éventuel malaise qu'ils vont ressentir à l'énoncé des réponses qui leur fera comprendre que ces sujets ne sont pas « comme les autres ». En fait, les enfants de cet âge ne demandent pas un cours d'anatomie. Ils se contentent de réponses simples et brèves. Quand ils voudront plus de détails, il vous en demanderont.

Trois conseils qui me semblent importants, mais chacun, face à ces questions, réagit avec sa propre sensibilité.

■ Dites simple, dites peu, mais **dites la vérité**. Si vous avez du mal à trouver les mots, des petits livres vous y aideront. Mais surtout, plus de roses, de cigognes ou de Saint-Esprit !

■ **Les mots justes existent.** Pourquoi ne pas les employer ? Ils me semblent plus adaptés que « zézette » ou « foufounette ».

■ **N'oblitérez pas le rôle du père**, même si aucune question ne porte directement dessus. La mère n'a pas fait « un bébé toute seule », comme dit la chanson. Il est facile de dire qu'il faut être deux pour concevoir un enfant et que, sans son père, il n'aurait jamais grandi dans le ventre de sa mère.

I L RÉCLAME UN CHIEN

Les enfants des villes connaissent peu les animaux, pourtant ils se sentent attirés par eux et sont fous de joie lorsque vous les emmenez au zoo ou à la ferme voir, «pour de vrai», les héros de leurs petits livres et de leurs dessins animés. Puis vient forcément un jour où ils demandent à en avoir un à la maison. Et de préférence un chien, tant il est vrai que c'est le compagnon idéal, fidèle et toujours disponible.

▶ A l'âge de votre enfant, il est évident que **la responsabilité de l'animal vous reviendra totalement** à vous, parents. Aussi, avant d'accéder à sa requête et de lui offrir la charmante boule de poils dont il rêve pour son anniversaire, devez-vous bien réfléchir à toutes les contraintes que vous imposera la présence d'un animal au foyer.

■ Avez-vous la place suffisante? Le temps suffisant pour vous en occuper? Une solution pour les vacances? Un chien sera-t-il heureux chez vous ou bien souffrira-t-il de manque d'espace ou de solitude toute la journée?

■ Il peut être utile également, si la demande de l'enfant est pressante, de se demander pourquoi. Souffre-t-il lui aussi de solitude? S'ennuie-t-il? A-t-il du mal à se faire des petits copains? L'ambiance à la maison n'est-elle pas un peu trop «calme»? Il est fréquent que cette demande d'un animal révèle en fait une autre demande, qu'il est bon de percevoir.

Mais finalement, vous voici décidé. Vous sentez que vous ne pouvez pas faire à votre enfant de plus beau cadeau. En ce sens, vous avez raison. Le chien va apporter **énormément d'affection et de plaisir** à votre enfant. Il va aussi lui apprendre beaucoup : **la fidélité en amitié, les droits** qu'il a sur l'animal, mais également **les devoirs** que cela implique.

■ Il peut promener son chien, le réveiller, jouer avec lui, le taquiner gentiment. Mais il doit respecter ses besoins de calme et de nourriture, apprendre à connaître son caractère et ses goûts. Il doit le respecter comme un être vivant et non comme un jouet ou un ours en peluche. Il doit également apprendre qu'un animal n'est pas un enfant et ne peut être traité comme tel. Les relations entre eux seront réussies si l'enfant sait respecter les limites que le chien va montrer.

■ La demande des enfants uniques doit être particulièrement prise en considération. Souvent l'enfant se sent seul, inadapté au monde d'adultes auquel il est si souvent mêlé. Il manque d'un complice, d'un interlocuteur, qui puisse être **un confident à certaines heures, un compagnon de jeu à d'autres**. Il manque d'animation, de bruit et de mouvement autour de lui, même s'il peut inviter souvent des petits copains à jouer ou s'il est en collectivité la journée. Tous ces manques, un chien saura à merveille les combler.

A PPRENDRE LES SAISONS

L'apprentissage du temps est certainement l'un des plus complexes, parce que l'un des plus abstraits, que l'enfant ait à aborder. Pour rendre compréhensible le cycle du temps et sa régularité, les saisons sont d'une grande aide. Pourquoi ne pas profiter de l'arrivée d'une nouvelle saison pour tenter de rendre concrets ces concepts si difficiles à cerner autrement ?

Le jeune enfant a vécu peu de saisons. Manquant de recul, toute nouveauté dans son environnement peut faire l'objet d'une découverte et d'un nouvel apprentissage. Pour cela, veillez à utiliser les cinq sens de votre enfant, et pas seulement la vue et l'ouïe : laissez-le manipuler, goûter, sentir, expérimenter…

Voici quelques idées :

■ Accrochez **un grand calendrier** au mur, à la hauteur de l'enfant. Entourez chaque saison d'une couleur différente et barrez un jour chaque matin.

■ Attirez l'attention de l'enfant sur **les signes concrets** des saisons : la température qui baisse (montrez-lui le thermomètre), les feuilles qui rougissent et tombent, les bourgeons, les jours qui raccourcissent ou au contraire rallongent,…

■ Permettez-lui d'**expérimenter** : cueillir des fleurs, ramasser des feuilles mortes, les faire sécher dans un gros catalogue, puis les coller pour en faire des tableaux, ou bien griller et manger des châtaignes sont autant de passionnants repères temporels.

On peut aussi choisir d'observer attentivement un arbre ou un arbuste, si possible porteur de fruits, du début du printemps (bourgeons, feuilles, fleurs) jusqu'à la maturité des fruits.

BIBLIOGRAPHIE

- *Apprenez à relaxer vos enfants*, par D. Chauvel et C. Noret, Retz, 1980.

- *L'un est l'autre*, par E. Badinter, Odile Jacob, 1986.

- *Le jeu chez l'enfant*, par P. Gutton, Larousse, 1973.

- *Le manuel de la maternelle*, par D. Chauvel et M. Boniface, Retz, 1983.

- *Comment apprendre à parler à l'enfant*, par L. Lentin, ESF, Paris.

- *Votre enfant et l'école maternelle*, par P. Lequeux, Casterman Poche, E3.

- *Guide des meilleurs livres pour enfants*, par R. Causse, Calmann-Lévy, 1986.

- *L'éveil musical de l'enfant*, par M. Gagnard, ESP, Paris.

- *Le père et son enfant*, par F. Dodson, Marabout, MS180.

- *Lorsque l'enfant paraît* (3 tomes), par F. Dolto, Seuil.

- *Le bébé* (éducation sexuelle pour tout-petits), École Freinet, Seuil, 1980.
- *Liberté pour apprendre*, par C. Rogers, Dunod, 1971.
- *Une place pour le père*, par A. Naouri, Seuil, 1985.
- *Être grands-parents aujourd'hui*, par F. Dodson, Marabout.
- *Les enfants face au divorce*, par L.B. Francke, Laffont, 1986.
- *La maternité singulière*, par C. Le Millour, Laffont.
- *Frères et sœurs*, par M. Soulé, ESF, Paris.
- *Que dire à votre enfant ?*, par H. Arnstein, Laffont.
- *Jalousies et rivalités entre frères et sœurs*, par A. Faber et E. Mazlish, Marabout.
- *Parent unique*, par D. Attali et F. Martinelli, Lattès, 1989.

INDEX

TABLE DES MATIÈRES

56803

IMPRIMÉ EN ALLEMAGNE PAR GGP MEDIA GMBH
pour le compte
des Éditions Marabout
D.L. Janvier 2013
ISBN : 978-2-501-08452-9
4126967/01